30~

ENIGMAS

MW00582656

ARIEL ÁLVAREZ VALDÉS es sacerdote, Licenciado en Teología Bíblica por la Facultad Bíblica Franciscana de Jerusalén (Israel), con la distinción *Summa cum Laude*, y Doctor en Teología Bíblica por la Universidad Pontificia de Salamanca, donde obtuvo la máxima calificación por su tesis *La Nueva Jerusalén: ¿ciudad celeste o ciudad terrestre?*

En la Argentina es profesor de Sagradas Escrituras en el Seminario Mayor de Santiago del Estero, y de Teología en la Universidad Católica de la misma ciudad.

En 1996 fue incorporado a la Asociación Bíblica Italiana, y en 1998 fue designado miembro honorario del Instituto de Filosofía del Derecho de la Universidad de Lomas de Zamora. En 2003 fue incorporado a la Asociación Bíblica Española. Es Consultor Internacional de la revista *Cuestiones Teológicas y Filosóficas*, de la Universidad Pontificia Bolivariana (Colombia).

Desde hace varios años se dedica a la divulgación popular de la investigación científica de la Biblia, a través de escritos y conferencias. Ha publicado más de 170 artículos en diversas revistas de la Argentina, Brasil, Ecuador, Venezuela, Bélgica, Chile, Colombia, México, Alemania, España, Estados Unidos, Francia, Portugal, Ucrania, Suiza, Rumania e Israel.

Entre sus publicaciones figuran: *¿Qué sabemos de la Biblia?* Antiguo y Nuevo Testamento; *Enigmas de la Biblia*, en nueve volúmenes, *¿Puede aparecerse la Virgen María?*, *¿Prueba Dios con el sufrimiento?*; *Lo que la Biblia no cuenta*, *¿La Biblia dice siempre la verdad?*, y *La Nueva Jerusalén: ¿ciudad celeste o ciudad terrestre?*

Sus libros y artículos han sido traducidos al italiano, inglés, francés, alemán, flamenco, ruso, ucraniano, rumano y portugués.

ARIEL ÁLVAREZ VALDÉS

ENIGMAS
DE LA BIBLIA
I

*Así como el hablar imprudente conduce al error,
también el silencio imprudente deja en el error
a los que tendrían que ser instruidos*
(San Gregorio Magno, *Regla Pastoral,* II, 4).

*Debemos evitar el escándalo.
Pero si el escándalo se produce por la verdad, antes que
abandonar la verdad se debe permitir el escándalo*
(San Gregorio Magno, *Homilías sobre Ezequiel,* VII, 5).

SAN PABLO

Distribución San Pablo:

Argentina
Riobamba 230, C1025ABF BUENOS AIRES, Argentina.
Tels. (011) 5555-2416/17. Fax (011) 5555-2425.
www.san-pablo.com.ar – E-mail: ventas@san-pablo.com.ar

Chile
Avda. L. B. O´Higgins 1626, SANTIAGO Centro, Chile
Casilla 3746. Correo 21 - Tel. (56) 2-7200300 - Fax (56) 2-6717481.
www.san-pablo.cl – E-mail: spventas@san-pablo.cl

Perú
Las Acacias 320 – Miraflores, LIMA 18, Perú.
Telefax (51) 1-4460017.
E-mail: dsanpablo@terra.com.pe

Alvarez Valdés, Ariel
  Enigmas de la Biblia 1. - 1ª ed. 7ª reimp. - Buenos Aires: San Pablo, 2008.
  112 p.; 21x14 cm. - (Enigmas)
  ISBN 978-950-861-354-7
  1. Biblia. I. Título
CDD 220

Con las debidas licencias / Queda hecho el depósito que ordena la ley 11.723 /
© SAN PABLO, Riobamba 230, C1025ABF BUENOS AIRES, Argentina, e-mail:
director.editorial@san-pablo.com.ar / Impreso en la Argentina, en el mes de
enerode 2008 / Industria argentina.

ISBN: 978-950-861-354-7

Justificación

La Biblia es la Palabra de Dios, escrita bajo la inspiración del Espíritu Santo. Pero no es sólo Palabra de Dios. El Concilio Vaticano II enseña que en la Biblia Dios nos habla *por medio de hombres y en lenguaje humano*. Por eso, para comprender bien lo que Él quiso expresar, es necesario *estudiar con atención lo que los autores querían decir* (*Dei Verbum*, 12). De allí la importancia del estudio de la Biblia.

Cada generación tiene siempre algo nuevo que aportar en este estudio, gracias a lo cual va comprendiendo cada vez mejor el significado de la revelación. Es lo que afirmaba en 1993 el actual Papa Benedicto XVI, en el prefacio del documento de la Pontificia Comisión Bíblica *La Interpretación de la Biblia en la Iglesia*, cuando dice: *"Tal estudio* (el de la Biblia) *no está nunca completamente concluido: cada época tendrá que buscar nuevamente, a su modo, la comprensión de los libros sagrados*. Por eso el Papa Juan Pablo II, en su discurso de presentación de dicho documento, afirmaba que *a los exegetas les corresponde... ir penetrando y exponiendo el sentido de la Sagrada Escritura, de modo que con dicho estudio pueda madurar el juicio de la Iglesia*.

Todos los años ven la luz cientos de nuevos libros, revistas, artículos, monografías, tesis, atlas, mapas, diccionarios y un sinnúmero de herramientas que procuran esclarecer más y más el sentido de las Sagradas Escrituras. Pero lamentablemente estos estudios no suelen llegar a la mayoría de los fieles, a los catequistas, a los grupos bíblicos, a los profesores de religión, porque se encuentran en libros especializados, escritos en lenguaje difícil, demasiado técnico, generalmente en gruesos y costosos volúmenes. De allí el pedido del Papa a los divulgadores para que utilicen *todos los medios posibles – y hoy dispo-*

nen de muchos – a fin de que el alcance universal del mensaje bíblico se reconozca ampliamente y su eficacia salvífica se manifieste por doquier (nº 15, § 5).

Precisamente esto es lo que pretenden los libros de esta colección. No intentan decir nada nuevo, sino divulgar con lenguaje llano y accesible a todos, lo que otros ya han dicho. Procuran poner al alcance de todos algunos de los avances de los actuales estudios bíblicos. Tratan de tender un puente entre la difícil erudición de los exegetas y el común de los fieles, para acercar a éstos, en forma fácilmente comprensible, los arduos estudios de aquéllos. Aspiran, en fin, a colaborar en la marcha del pueblo de Dios hacia una comprensión más plena de la palabra de Dios, de la que nos hablaba Jesús cuando decía que el Espíritu Santo nos llevará poco a poco hacia la verdad total (Jn 16,13).

¿CÓMO PUDO MOISÉS CONTAR SU PROPIA MUERTE?

Enigma difícil de descifrar

Durante siglos los lectores de la Biblia se preguntaron: ¿cómo hizo Moisés, autor de los cinco primeros libros bíblicos, para contar en el capítulo 34 del Deuteronomio su propia muerte? ¿Cómo se enteró del día, lugar y hora en que iba a fallecer, del duelo que harían los israelitas por él, y de los futuros detalles de su sepultura?

La pregunta era obligada, porque uno de los dogmas más firmes de los estudiosos bíblicos fue, durante siglos, que Moisés era el autor del Deuteronomio. Hoy ningún biblista piensa así. La misma Iglesia Católica ha abandonado ya esta postura, gracias a los hallazgos de las últimas décadas. ¿Quién escribió, entonces, el Deuteronomio, cuarto libro de la Biblia y uno de los más sagrados de todo el Antiguo Testamento?

A causa de las vocales

Los cinco primeros libros de la Biblia son llamados por los judíos "La Torá" (en hebreo = "La Ley"), porque son los únicos que contienen las leyes que el israelita debe cumplir para ser fiel a Dios.

En un principio, la obra era un único y extenso libro escrito en hebreo. El formato de los libros, en aquella época, no era como los nuestros actuales sino que consistía en una larga tira de papiro o cuero, que luego se enrollaba. Por eso no se llamaba "libro" sino "rollo".

Alrededor del año 250 a.C., fue llevado desde Palestina a una ciudad egipcia llamada Alejandría, y allí fue traducido al griego. Entonces la obra adquirió un volumen mucho mayor, porque mientras la lengua hebrea se escribe sólo con consonantes, en griego se le añadieron las vocales propias de este idioma, y su tamaño se duplicó.

Como no existían rollos tan grandes para contener el extenso manuscrito, debió ser dividido en cinco libros, y se le dio el nombre de Pentateuco (del griego *pénte* = cinco, y *téujos* = estuches para guardar los rollos) con que actualmente se lo conoce.

El por qué de los nombres

Cada libro recibió, a su vez, un nombre especial, que conserva hasta el día de hoy.

Al primero se lo llamó "Génesis" (que en griego significa "origen") porque describe tres orígenes: el del mundo, de la humanidad, y del pueblo de Israel. Al segundo, "Éxodo" (en griego = "salida"), porque relata el éxodo de Israel de la esclavitud de Egipto. Al tercero, "Levítico", porque casi todo el libro contiene las normas que debían observar los sacerdotes levitas durante el culto. Al cuarto, "Números", porque comienza con los números obtenidos por Moisés luego de realizar el censo del pueblo. Finalmente el quinto fue llamado "Deuteronomio" (del griego *déuteros* = segundo, y *nomos* = ley), porque contiene el segundo grupo de leyes que Moisés habría entregado al pueblo poco antes de su muerte.

El amigo de Dios

La tradición judía siempre pensó que el Pentateuco (que a simple vista parece un relato continuo desde la creación del mundo, pasando por la historia de los Patriarcas, la esclavitud en Egipto, el éxodo y el regreso a la Tierra Prometida) tenía como autor a Moisés. Ahora bien, nunca se dice en el Pentateuco que el autor sea Moisés. Por lo tanto, en una sana lógica, lo que exige explicación no es porqué hemos dejado de creer en el dogma de la autoría mosaica, sino cómo se le ocurrió a alguien creer por primera vez en ello.

Posiblemente sean tres las razones que engendraron esta tradición: a)porque Moisés es la figura principal de toda la obra; b)porque la mayor parte de los libros contiene leyes supuestamente dadas por él; y c)porque varias veces se dice expresamente que Moisés escribió algunos episodios allí contados (Éx 17,14; 24,4; 34,28; Núm 33,2; Deut 31,9.22).

Y ante la pregunta de cómo se enteró Moisés, por ejemplo, de los hechos sucedidos en el Paraíso, o de la historia de Noé, o de los sucesos de los Patriarcas que vivieron seiscientos años antes que él, se respondía simplemente que, como Moisés tenía un trato íntimo y especial con Dios (según Éx 33,11), bien pudo escuchar de labios del mismo Dios todos aquellos detalles.

Por lo tanto, en tiempos de Cristo los judíos estaban plenamente convencidos de que Moisés había escrito todo el Pentateuco. El mismo Jesús alude a esta creencia en una discusión con ellos: "Si ustedes creyeran en Moisés, creerían en mí, porque él escribió sobre mí. Pero si no creen en sus escritos ¿cómo van a creer en mis palabras?" (Jn 5,46-47).

Las primeras dudas

Durante casi quince siglos el mundo cristiano continuó pensando de esta manera, y a nadie se le ocurrió jamás ponerla en duda.

Pero en el siglo XVI las cosas empezaron a cambiar. Un teólogo alemán, llamado Bodenstein Carlstadt, comenzó a sospechar que el capítulo 34 del Deuteronomio, que mencionamos al principio y donde se narra precisamente la muerte de Moisés, no podía haber sido escrito por el caudillo. Además, a continuación de su muerte se dice: "Y no ha vuelto a surgir en Israel un profeta como Moisés" (v.10), lo cual supone que, al redactarse esto, ya habían transcurrido muchos años de su muerte.

Por lo tanto, en 1520 Carlstadt publicó un libro en el que afirmaba que Moisés no pudo haber sido el autor de todo el Pentateuco.

Pero será el francés Jean Astruc quien, dos siglos más tarde, revolucionará los estudios del Pentateuco. Era médico de cabecera del rey Luis XIV, y al parecer el monarca gozaba de buena salud, porque Astruc disponía de mucho tiempo para leer la Biblia. En cierta ocasión hizo un extraño descubrimiento. Comprobó que en Gn 2-3 a Dios se lo llama siempre "Yahvé", mientras que en Gn 1 Dios se lo designaba como "Elohim" (o sea, "Dios" a secas). Y se preguntó: ¿Es posible que un mismo escritor diga primero 35 veces Elohim, y luego 18 veces Yahvé? ¿No será que hay dos autores, y cada uno utiliza un nombre de Dios distinto del que utiliza el otro?

Así, en 1753 escribió un libro donde propuso la hipótesis de que el Pentateuco fue escrito por dos autores. Uno de ellos fue llamado "Yahvista", y el "Elohista". Esta teoría marcará un hito en la historia de las investigaciones posteriores.

Más contradicciones

Siguiendo los pasos del médico francés, muchos otros teólogos continuaron investigando y detectaron nuevas irregularidades literarias.

Por ejemplo, descubrieron que estaba dos veces el relato de la creación del mundo (Gn 1 y Gn 2); dos veces la genealogía de Adán (Gn 4,25 y 5,1); dos veces el diluvio universal (Gn 6-8); dos veces la expulsión de la esclava de Abraham (Gn 16,3-16 y 21,8-21); dos veces la historia en la que Sara se va con un rey extranjero (Gn 12,10 y Gn 20,1); dos veces la alianza de Dios con Abraham (Gn 15,1, y Gn 17,1); dos veces el origen del nombre de Israel (Gn 32,29 y Gn 35,10); dos veces la vocación de Moisés (Éx 3,1 y Éx 6,1); dos veces los 10 mandamientos (Éx 20,1 y Deut 5,1). Y para peor, contados de manera diversa.

Otros textos están repetidos tres veces, como la legislación sobre el homicidio; y algunos hasta cinco veces, como la ley del diezmo, o la lista de las fiestas israelitas. ¿Por qué Moisés tendría que contar cinco veces las mismas cosas?

También se encontraron afirmaciones contradictorias, como que el monte de la alianza se llamaba Sinaí (Éx 19,1) y también Horeb (5,2). Que el suegro de Moisés era Jetró (Éx 3,1) y Reuel (Éx 2,18). Que Jacob obtuvo el derecho a la primogenitura cambiándola a su hermano Esaú por un plato de lentejas (Gn 5,29-34) y robándola a su padre ciego (Gn 27). Que quien guiaba a los israelitas por el desierto era una nube (Núm 9,17-18) y el arca de la alianza (Núm 10,33). ¿Por qué tantas incoherencias?

Sospechosas profecías

Pero lo más asombroso fue descubrir relatos referidos a sucesos varios siglos posteriores a Moisés. Por ejemplo, Gn 36,31 dice: "Estos son los reyes que reinaron en Edom antes de que hubiera reyes en Israel". ¿Cómo supo Moisés que tres siglos después de él habría reyes en Israel? Y en Gn 14,14 se menciona a la ciudad de Dan. ¿Cómo se enteró de que se fundaría esta ciudad siglos más tarde de su muerte?

A todo esto, nunca pudo hallarse un solo pasaje del Pentateuco donde Moisés escriba en primera persona ("Yo dije, yo fui"), sino que siempre aparece en tercera persona ("Moisés dijo, Moisés fue"), lo cual indica que no es él quien escribe, sino algún otro autor.

Poco a poco, pues, se fue desmoronando la creencia de que el héroe del éxodo fuera el autor del Pentateuco.

En 1798 se produjo un nuevo descubrimiento: K. D. Ilgen logró identificar, inmerso en los relatos del Pentateuco, un tercer documento. Y le dio el nombre de "Sacerdotal", porque casi todos los relatos se centran en los temas litúrgicos y sacerdotales.

Finalmente en 1854 el biblista alemán H. Riehm distinguió un cuarto documento en el Pentateuco, y fue llamado "Deuteronomista" porque es el que compone el libro del Deuteronomio.

El genio y su teoría

Con estos descubrimientos a mano, sólo faltaba alguien que pudiera hacer una síntesis y presentar una hipótesis satisfactoria. Entonces apareció en escena un genial pensador llamado Julio Wellhausen. Este protestante alemán recogió los datos nuevos que habían ido apareciendo, les dio mayor precisión científica, logró ponerles fecha, y en 1878 estuvo en condiciones de presentar, por primera vez, su nueva hipótesis que lo consagrará para siempre ante el mundo: la "teoría de los cuatro documentos", llamada también, en homenaje a él, "teoría wellhauseniana".

Según ésta, el Pentateuco no sería obra de Moisés sino el resultado de una compilación de cuatro escritos, que en un principio eran independientes y que luego se fusionaron en uno solo.

¿Cómo nacieron estos cuatro documentos, y qué contenían?

Los documentos Yahvista y Elohista

El más antiguo de todos sería el llamado documento Yahvista. Habría sido compuesto en Jerusalén alrededor del año 950 a.C, en tiempos del rey Salomón. Su autor era un gran teólogo y excepcional catequista.

Comenzaba con la historia de Adán y Eva (de Gn 2), la vida en el Paraíso, el pecado original, el asesinato de Caín, el diluvio universal y la torre de Babel. Seguía después con la vida de Abraham, Isaac, Jacob, y José en Egipto. Luego contaba algunas cosas sobre la opresión egipcia, el nacimiento y la vocación de Moisés, las plagas de Egipto, ciertos episodios del monte Sinaí, y terminaba con la llegada de los israelitas a las puertas de la tierra prometida (Núm 25).

Los relatos del Yahvista se distinguen en el Pentateuco porque están contados con un arte muy primitivo, llenos de colorido y atrevidos antropomorfismos. Presentan a Dios como alfarero, jardinero, cirujano, sastre, huésped de Abraham, interlocutor familiar de Moisés. Es decir, un Dios cercano, casi "humano", mezclado en la historia de los hombres.

A la muerte de Salomón, el país se habría dividido en dos. Entonces el reino del sur se quedó con la historia Yahvista. Dos siglos más tarde, hacia el 750 a.c, un autor anónimo del reino del norte decidió componer otra obra que recogiera las tradiciones propias norteñas.

Este nuevo documento, llamado Elohista, relataba más o menos la misma historia que el Yahvista, sólo que era más breve pues comenzaba directamente con Abraham (Gn 15). Se lo distingue en el Pentateuco porque, a diferencia del Yahvista, evita describir a Dios con características tan "humanas". Sus relatos no muestran a Dios hablando con los hombres cara a cara sino desde el cielo, desde una nube, desde el fuego, a través de ángeles, o en sueños.

El documento terminaba, igual que el Yahvista, con la llegada de los hebreos a la tierra prometida (Núm 25).

Los documentos Deuteronomista y Sacerdotal

En el año 622 a.C, en unos trabajos de reparación del Templo de Jerusalén, fue descubierto en un viejo armario un código legal. Muchas de las leyes allí escritas ni siquiera eran conocidas por los judíos. A fin de revalorizarlas y hacerlas cumplir, los escribas del rey Josías crearon, en torno a él, una historia ficticia en la que Moisés, a punto de morir, daba al pueblo judío estas nuevas leyes para que las observaran.

Así nació este tercer documento, llamado por ello Deuteronomista (= segundas leyes).

Cien años más tarde, cuando los israelitas fueron llevados cautivos a Babilonia, los sacerdotes decidieron escribir una nueva historia del pueblo de Israel, tal como lo habían hecho el Yahvista y el Elohista. Pero la novedad consistía en incluir, a lo largo del relato, una serie de leyes litúrgicas, de ritos y celebraciones, para que el pueblo no olvidara de cumplirlas en el país extranjero.

El libro comenzaba, como el Yahvista, con la creación del mundo en seis días (de Gn 1), seguía con el diluvio universal, la historia de Abraham, Isaac y Jacob, la esclavitud de los israelitas en Egipto, la vocación de Moisés, la liberación y la alianza en el monte Sinaí, hasta la llegada de los israelitas a la tierra prometida (Núm 36).

Para no perderse nada

Cuando los judíos regresaron del destierro y quisieron recopilar sus tradiciones, se dieron con que tenían cuatro relatos distintos de su pasado histórico. No queriendo perder ninguno de ellos, un compilador anónimo resolvió combinarlos en uno solo. Y nació así el Pentateuco.

La fusión se hizo alrededor del año 450 a.C. y a la manera semita, es decir, yuxtaponiendo, pegando, cortando, sin preocuparse demasiado por armonizar las diferencias. Incluso dejando "duplicados". Por eso al analizar con cuidado la obra se descubren ciertas incoherencias, repeticiones y contradicciones en la narración.

La obra tuvo un éxito tan grande que los cuatro documentos originales cayeron pronto en el olvido. Hasta se olvidó el nombre de aquél que los había unificado, y entonces el Pentateuco fue atribuido a Moisés.

La oposición de las Iglesias

Hasta aquí la teoría de Wellhausen. Y, como era de esperar, encontró pronto un rechazo general en todas las Iglesias

14

protestantes, donde había nacido. También los católicos la condenaron enérgicamente, y el 27 de junio de 1906 la Pontificia Comisión Bíblica declaraba que el Pentateuco era obra de Moisés, y prohibía cualquier enseñanza contraria.

Frente al fracaso de su hipótesis, Wellhausen escribió en 1883: "Sé qué las Iglesias rechazarán primero mis teorías durante cincuenta años, pero luego las admitirán en su credo con sutiles argumentos".

Tales palabras resultaron casi una predicción, porque sesenta años más tarde, en 1943, el Papa Pío XII publicó la encíclica "Divino Afflante Spiritu", en la que anunciaba que ya habían pasado los tiempos del miedo a la investigación, y que los biblistas católicos debían utilizar para sus estudios todas las ayudas de las ciencias modernas. Y en 1951 se publicó una traducción francesa del Génesis, en la que se incluía por primera vez, con aprobación oficial, la teoría de los cuatro documentos. Se había cumplido brillantemente la predicción de Wellhausen.

Con el espíritu de Moisés

Hoy los estudios bíblicos han seguido avanzando, y la "teoría de los cuatro documentos" ya no se sostiene. Pero no existe aún acuerdo entre los eruditos, sobre cómo se habría compuesto el Pentateuco. Muchos piensan que el estos 5 libros (y también los 6 siguientes, es decir: Josué, Jueces, 1 y 2 Samuel, y 1 y 2 Reyes) comenzaron a escribirse en el siglo VII a.C., en tiempos del rey Josías (639-609 a.C.), para expresar la ideología de un nuevo movimiento religioso monoteísta, que anhelaba la unificación política de todo el territorio de Israel.

Sea como fuere, la genial intuición de Wellhausen aún perdura: el Pentateuco es una obra escrita por varias generaciones de teólogos, historiadores, catequistas, juristas, sacerdotes y liturgistas, todos ellos inspirados por Dios para dar vida esta genial epopeya sagrada.

Esta visión es muy útil, porque ayuda a los lectores modernos a no interpretar ingenuamente esos cinco libros como si hubieran sido escritos de corrido por una sola persona. Y además, a admirar la grandeza de Dios, que buscó el aporte de tantos autores anónimos para la confección de la obra más preclara del Antiguo Testamento.

Para reflexionar

1) ¿Por qué la tradición pensó siempre que Moisés había escrito el Pentateuco?

2) ¿Qué razones desaconsejan hoy seguir atribuyéndole a Moisés la paternidad de esta colección?

3) ¿Cómo se formó el Pentateuco, según los estudiosos actuales?

4) ¿A qué época pertenece cada una de las tradiciones que integran el Pentateuco?

5) ¿Qué imagen de la inspiración de Dios se desprende según estas nuevas teorías?

Para continuar la lectura

F. García López, *El Pentateuco*, Editorial Verbo Divino, Estella (Navarra) 2003.

¿CÓMO FUE LA CONQUISTA DE LA TIERRA PROMETIDA?

Una operación relámpago

Según la Biblia, los israelitas después de salir de Egipto llegaron al país de Canaán, la famosa Tierra Prometida. Y como la encontraron ocupada por los cananeos, decidieron tomarla militarmente. El relato de esa conquista (Jos 1-12) constituye una de las epopeyas más conmovedoras de la Biblia, donde se dan cita el heroísmo, la astucia y la venganza. Allí se narran también algunos de los episodios bíblicos más famosos: los espías salvados gracias a una prostituta, la milagrosa caída de las murallas de Jericó, la detención del sol en el cielo.

La conquista está descrita como una especie de guerra relámpago, en la que las 12 tribus de Israel, conducidas por el general Josué, se apoderan de la ciudad de Jericó, capturan la fortaleza de Ay, y luego emprenden tres campañas militares: al centro (Jos 7-9), al sur (Jos 10) y al norte del territorio (Jos 11). Al final, toda la población local queda eliminada y los israelitas logran apoderarse de la Tierra Santa.

Los historiadores suelen ubicar estos hechos hacia el año 1220 a.C.

¿Conquista militar?

Durante siglos, los lectores de la Biblia tomaron tales episodios como históricos. Pero con el tiempo, comenzaron a surgir algunas dudas: ¿cómo pudo un grupo andrajoso, que marchaba con mujeres, niños y ancianos, y que venía de deambular por el desierto, enfrentar a los poderosos reyes cananeos? ¿Cómo pudo esta masa desordenada y sin preparación bélica, conquistar las grandes fortalezas defendidas con ejércitos profesionales y carros de guerra entrenados? ¿Por qué no intervino Egipto, siendo que en ese entonces Canaán era una provincia controlada por ese país?

Además, se empezó a comparar el libro de Josué (donde está el relato de la conquista) con el de los Jueces. Y se encontró que este libro traía una versión muy distinta de la conquista. Mientras el libro de Josué afirma que la conquista fue una rápida campaña militar, protagonizada por las 12 tribus, dirigida por Josué, y que terminó con la ocupación de todo el país, el libro de los Jueces afirma que: a) la conquista fue un proceso largo y penoso; b) realizado en forma individual por las tribus; c) sin la intervención de Josué; d) sólo parcialmente lograda. ¿Cuál de los dos libros contenía la verdad histórica?

Para empeorar la situación, a mediados del siglo XIX se produjo un hecho que terminó desacreditando del todo esta teoría de la conquista militar: la llegada de la arqueología.

¿Infiltración pacífica?

En efecto, cuando los arqueólogos excavaron Palestina, descubrieron que las cosas no habían sido como las contaba la Biblia. Vieron que las murallas de Jericó se habían derrumbado trescientos años antes de la presunta llegada de los israelitas. Que la ciudad de Ay había desaparecido mil años antes del supuesto arribo de Josué. Y que muchas localidades mencionadas en la conquista (como Gabaón, Hebrón, Arad, Jormá), no existían en aquella época, o eran poblados sin ninguna importancia.

Todo esto hizo que muchos estudiosos abandonaran poco a poco la hipótesis de la conquista militar, y se inclinaran por otra nueva, sugerida hacía tiempo por los biblistas alemanes: la de la infiltración pacífica.

Según esta teoría, formulada por primera vez en 1925 por Albrecht Alt, los israelitas no entraron a Canaán militarmente, sino pacíficamente. Y no lo hicieron todas las tribus juntas, guiadas por un general hebreo, sino gradualmente, en un largo proceso de infiltración. Los primeros israelitas habrían sido pastores de cabras y ovejas, procedentes del desierto, que hacia el 1200 a.c. empezaron a cruzar la frontera y asentarse progresivamente en las zonas menos pobladas de Canaán. Con el tiempo, los pastores se hicieron agricultores y se sedentarizaron. Pero al crecer los inmigrantes en número, y aumentar sus necesidades de tierra y agua, entraron en conflicto con los cananeos locales. Entonces se produjeron luchas violentas entre ambos grupos, que terminó con el triunfo de los inmigrantes.

O sea que los enfrentamientos bélicos, contados en el libro de Josué, serían el recuerdo de esta disputa armada entre los pastores extranjeros y los cananeos locales. Nunca existió, pues, una invasión unitaria de las tribus israelitas. Éstas ocuparon la tierra de Canaán mediante un largo y gradual proceso de infiltración pacífica. De ahí el nombre de esta teoría.

¿Revolución campesina?

Aunque las teorías de la conquista militar y de la infiltración pacífica eran muy diferentes, tenían algo en común: las dos suponían que los israelitas eran inmigrantes que habían llegado al país alrededor del 1200 a.c., y que en cierto momento entraron en conflicto con los agricultores locales.

Pero con el paso del tiempo, también la visión de Alt comenzó a ponerse en duda. La misma arqueología demostró que no hay señales culturales de un grupo étnico diferente que hubiera llegado de afuera. Además, es improbable que un grupo de nómades hubiera llegado del desierto hacia el 1200 a.C, porque el camello recién fue domesticado hacia el 1000 a.C, y se lo usó como animal de carga recién hacia el 900 a.C.

Esto llevó al biblista norteamericano George Mendenhall a proponer, en 1962, una nueva y osada teoría. Según él, los israelitas no vinieron de afuera del país, sino que eran los mismos cananeos campesinos, que en determinado momento se revelaron contra los habitantes de las ciudades.

Concretamente, Mendenhall afirmaba que alrededor del año 1200 a.c., las clases altas de los cananeos, que vivían en las ciudades (gobernantes, cortesanos, sabios, sacerdotes), oprimían y explotaban a la población campesina que trabajaba la tierra. Poco a poco, los campesinos cananeos fueron tomando conciencia de su situación y uniéndose, hasta que en cierto momento estalló el conflicto. Los campesinos se sublevaron contra la gente de las ciudades, las destruyeron, y fundaron un nuevo orden social y un nuevo pueblo. A ello contribuyó un pequeño grupo llegado de Egipto, unido por la fe en un nuevo Dios, llamado Yahvé, que los había liberado del faraón, y con el que habían hecho una alianza.

Los relatos de la conquista del libro de Josué serían, pues, el recuerdo de esta revuelta campesina contra las ciudades explotadoras.

La evolución progresiva

La hipótesis de Mendenhall tuvo una amplia acogida entre los estudiosos de la década del 70 y 80, y llegó a convertirse en la preferida de numerosos biblistas. Su gran propagador fue el historiador y sociólogo bíblico Norman Gottwald, quien en 1979 publicó una obra monumental de casi mil páginas, para tratar de demostrarla.

Pero con la misma rapidez con la que se propaló, esta teoría también comenzó a perder crédito. Porque los arqueólogos comprobaron que las colinas centrales de Palestina, donde habitaban los campesinos cananeos, tenían lugar de sobra para mantener a la población nómada; en cambio Mendenhall decía que no había lugar para el pastoreo y por eso se sublevaron.

Ante esta nueva frustración, la historia de la conquista entró en un callejón sin salida. Y durante muchos años, los historiadores no tuvieron más remedio que elegir, con más o menos ajustes, alguna de estas tres propuestas. Pero en el año 2001, el panorama cambió drásticamente con la aparición de un impactante libro, titulado "La Biblia desenterrada", escrito por el historiador y arqueólogo hebreo Israel Finkelstein.

Este autor, que además de biblista es arqueólogo (lo cual le permitió excavar personalmente en Palestina), sostenía que los israelitas no llegaron de afuera, sino que eran los mismos cananeos, que en un principio vivían como pastores nómades en los campos de Canaán, manteniendo buenas relaciones comerciales con los habitantes de la ciudad. Pero en cierto momento, hacia el año 1200 a.c., debido a factores políticos externos, las ciudades cananeas se derrumbaron. Entonces los pastores se vieron en problemas, pues del comercio con las ciudades ellos obtenían cereales, aceite y otros productos agrícolas. No tuvieron más remedio que sedentarizarse y practicar ellos mismos la agricultura. Se instalaron en las regiones altas y despobladas del este de Palestina, y poco a poco fueron creciendo hasta convertirse en pueblos y ciudades grandes. Y así fue como nació el pueblo de Israel.

Por lo tanto, concluye Finkelstein, la aparición de los primeros israelitas no fue lo que provocó el derrumbe de la civilización cananea, sino al revés: el derrumbe de la civilización cananea fue lo que permitió el surgimiento del primitivo Israel.

De unos antepasados vergonzosos

Podemos imaginar el escándalo que produjo la aparición de esta teoría, especialmente entre los judíos actuales, quienes de pronto se "enteraron" de que los tan odiados cananeos, sus ancestrales enemigos, a quienes por siglos consideraron una raza maldita a la que debieron exterminar, no eran sino... ¡sus propios antepasados!

La hipótesis de Finkelstein también causó gran conmoción en el ámbito académico, y fue objeto de numerosos debates en universidades y congresos. Y aunque sus puntos de vistas siguen siendo controvertidos, cada vez son más los historiadores y biblistas que los van aceptando.

Sea cual fuere el verdadero origen de Israel, una cosa es clara: los relatos de la conquista militar, como están narrados en el libro de Josué, no reflejan auténticos hechos históricos. No existió una invasión unitaria de las doce tribus de Israel, al mando de un único general, que mediante tres campañas relámpago las condujo a la rápida posesión de la Tierra Prometida.

Surge entonces la pregunta más importante: ¿cuándo y por qué se escribió el libro de Josué?

Una geografía que atrasa

Hoy muchos biblistas sostienen que, tal como está en la Biblia, este libro no se escribió en el siglo XIII a.C. sino mucho después, en el siglo VII a.C., cuando gobernaba en Jerusalén el famoso rey Josías. Eso se puede comprobar, porque si leemos la lista de ciudades que aparecen descritas en Jos 15,21-62, vemos que éstas corresponden exactamente a las fronteras que el reino de Judá tenía en el siglo VII a.C., durante el reinado de Josías. Incluso los nombres de esas ciudades coinciden con las denominaciones del siglo VII y no del siglo XIII.

¿Y por qué el rey Josías quiso contar en un libro que la Tierra Prometida había sido conquistada militarmente por Josué?

La respuesta es la siguiente. Cuando subió al trono en el 640 a.C, el rey Josías gobernaba una minúscula porción de la Tierra Santa, en el centro del país. La inmensa mayoría del territorio se había perdido, un siglo atrás, en manos de los asirios. Y los israelitas decían que eso se debía a sus pecados, y a que no habían sido fieles a las leyes divinas. Por eso Dios los había castigado quitándoles gran parte de la tierra.

Pero hacia el año 620 a.C., el reino de Asiria empezó a debilitarse y a disminuir su control del país. Entonces se despertó en el rey Josías el sueño de recuperar militarmente los territorios perdidos. Y para animar al pueblo a esta empresa, hizo componer el libro de Josué, exponiendo cómo una vez la tierra ya había sido conquistada por Josué, de una manera rápida y fácil. Y no porque los israelitas fueran militarmente idóneos, sino porque ésa era la voluntad de Dios sobre el país: que perteneciera a Israel.

Por lo tanto, el libro de Josué, más que una crónica histórica, es la expresión de los anhelos y aspiraciones políticas de este monarca

Para retratar al rey

En efecto, el primer objetivo expansionista de Josías era conquistar la zona central, con Jericó y sus alrededores. Por eso, el libro de Josué cuenta que la primera batalla de los israelitas fue la conquista de Jericó y sus alrededores. El segundo objetivo del rey era ocupar el valle de la costa, llamado la Shefela, una región importante y fértil, considerada el granero de Judá. Por eso, el libro de Josué dice que la segunda campaña de los israelitas fue la conquista del camino de la costa. Finalmente, el gran sueño militar del rey Josías era recuperar los territorios perdidos del norte. Por eso el libro de Josué narra que la última etapa de la conquista fue la recuperación de la región del norte.

O sea que las campañas de Josué, aunque están contadas como si hubieran sucedido en el siglo XIII a.C, en realidad eran el proyecto de las futuras conquistas que Josías tenía en mente en el siglo VII a.C.

Más aún: la misma figura de Josué está retratada con los rasgos del rey Josías. En efecto: a) cuando asume como jefe del pueblo (Jos 1,1-9), Josué es descrito como se describía la asunción de un rey; b) cuando recibe el juramento de lealtad del pueblo (Jos 1,16-19), se lo presenta como un rey que recibe el juramento de su gente; c) cuando preside la ceremonia de renovación de la alianza (Jos 8,30-35), Josué realiza una función que era exclusiva del rey; d) cuando Dios le ordena meditar día y noche el libro de la Ley divina (Jos 1,8-9), le está ordenando algo que era característico del rey Josías (2 Rey 23,25).

O sea que Josué es, en realidad, el vivo retrato del rey Josías, un símbolo de este monarca, de quien se esperaba que volviera a "repetir" aquellas hazañas legendarias del caudillo militar hebreo.

Un libro de propaganda

Los combates de los israelitas no son, ciertamente, una total creación literaria. Contienen lejanos recuerdos de algunos enfrentamientos bélicos ocurridos alguna vez. Pero están articulados en una trama artificial e idealizada, como una propaganda política en favor de los sueños y aspiraciones del monarca.

De este modo el libro, inspirado por Dios, dejaba en su conjunto una lección muy clara a los lectores: Israel pudo una vez conquistar la Tierra Santa, de manera rápida y fácil, porque en el plan de Dios estaba que todas esas tierras pertenecieran a los hebreos. Pero siglos más tarde, por la infidelidad de los israelitas, las tierras se perdieron en manos de los asirios. Ahora, la tierra está lista para ser nuevamente conquistada para Israel, si el pueblo judío está dispuesto a convertirse, cambiar de vida, rechazar la idolatría y mantenerse puro.

Y si bien Josías nunca pudo concretar su ambicioso plan de reconquistar la Tierra Santa, porque murió poco después sorpresivamente, la fuerza y el vigor de su proyecto perduraron durante siglos, y fue como un faro de luz que alentó las esperanzas de generaciones de israelitas, en la convicción de que Dios seguía estando de su lado, dándoles el poder de enfrentar cualquier enemigo y salir victoriosos, siempre y cuando ellos fueran fieles a Dios.

La conquista que esperamos

Según la Biblia, el general Josué conquistó la Tierra Santa mediante la fuerza militar, la única que se conocía en su momento. Así logró expulsar a los paganos y crear una nación nueva, capaz de vivir la Palabra de Dios y cumplir su voluntad.

Pero los israelitas, con el tiempo, olvidaron la estrategia de Josué (la fuerza militar) y recurrieron a otras tácticas no recomendadas: las alianzas políticas con los paganos, las uniones idolátricos, el sincretismo religioso, y así terminaron perdiendo la tierra para siempre.

Curiosamente el nombre hebreo "Josué", en griego se dice "Jesús". O sea, es como si en la Biblia, Josué fuera un símbolo de Jesús. Y sin duda se trata de un símbolo muy apropiado. Porque también Jesús nos invita hoy a conquistar la moderna Tierra Santa, que es el mundo entero. Pero esta vez no con la fuerza militar, sino mediante una nueva estrategia: la fuerza del amor. Él pudo lograrlo en su época. Con su amor, consiguió llegar hasta el último excluido, y cautivar los corazones de la gente de su tiempo.

Pero hoy los cristianos estamos perdiendo la Tierra Santa. Porque hemos olvidado la estrategia de Jesús, y hemos echado mano a otras prácticas no recomendadas: el autoritarismo, el maltrato a los que piensan distinto, el creernos dueños de la verdad, la soberbia. Basta mirar nuestras maneras diarias de relacionarnos con los demás, para comprender por qué el cristianismo no conquista aún la tierra.

Hay que salir a luchar, a combatir, pero con las armas que nos dejó Jesús. Con ellas tenemos que lanzarnos a recuperar nuestras relaciones, los amigos, la gente que nos rodea, la sociedad, el país, y con la ayuda de Dios la tierra entera. Sólo así ella podrá transformarse, finalmente, en la Tierra Prometida.

Para reflexionar

1) ¿De qué manera y con qué detalles cuenta la Biblia la conquista de la Tierra Prometida?

2) ¿Cuáles son las razones que llevaron a dudar de la exactitud histórica de estos relatos?

3) ¿Quién propuso la teoría de la infiltración pacífica, y que decía?

4) ¿Quién propuso la teoría de la revolución campesina, y qué decía?

5) ¿Quién propuso la revuelta de la evolución progresiva, y qué decía?

6) ¿Cuál fue el contexto histórico que llevó a escribir en el libro de Josué la conquista militar de la Tierra Prometida?

Para continuar la lectura

J. L. Sucre, *Josué*, Verbo Divino, Estella (Navarra) 2002.

¿CASTIGÓ DIOS A SALOMÓN A CAUSA DE SUS MUJERES?

Para todos los dioses

Cuenta la Biblia que el rey Salomón "amó a muchas mujeres" durante su vida (1 Rey 11,1). Esto no sería raro, puede pasarle a cualquiera. Lo asombroso es el número de ellas. Se nos dice que llegó a tener nada menos que 700 esposas y 300 concubinas, es decir, ¡1000 mujeres!

¿Se puede amar a 1000 mujeres a la vez? Claro que no. Lo que sucede es que en aquella época para los reyes orientales era una cuestión de prestigio acumular muchas mujeres. Cuanto más nutrido era su harén, mayor reputación tenía el rey. Y Salomón, entre las numerosas consortes que tuvo, incluyó también mujeres de los países vecinos: moabitas, hititas, amonitas, edomitas, sidonias, y hasta la misma hija del Faraón de Egipto.

Estas mujeres, como es de suponer, no querían adorar a Yahvé, el Dios de Salomón, sino a los dioses de sus propios países. Y para no tener que viajar hasta allí, lograron convencer al veleidoso monarca para que les construyera templos a todos ellos en Jerusalén. Podemos imaginar el horror y el escándalo que significó, para el pueblo de Israel, ver en el corazón de la Ciudad Santa estos altares de divinidades extrañas.

¿Fue un castigo de Dios?

Pero Salomón no sólo construyó los templos paganos sino que, por complacer a sus esposas, llegó incluso a adorar y dar culto a los dioses extranjeros. Por eso, se le presentó un día

Yahvé a Salomón y le dijo: "Por haber hecho esto y no haber cumplido mi alianza ni las leyes que te di, voy a quitarte el Reino y dárselo a un servidor tuyo. Pero por el amor que le tuve a tu padre David no te lo quitaré mientras tú vivas, sino a un hijo tuyo. Tampoco le quitaré todo el Reino a tu hijo, sino que lo dividiré, y una parte le quedará para él" (1 Rey 11,11-13).

Y efectivamente cuando el rey murió, subió al trono su hijo Roboam. Entonces se produjo el cisma: un joven llamado Jeroboam se sublevó y se hizo nombrar rey de toda la región del norte. Sólo una pequeña parcela del sur quedó gobernada por el hijo de Salomón. La profecía se había cumplido.

Pero la división de las 12 tribus de Israel en dos Reinos distintos, ¿fue realmente un castigo de Dios a Salomón por haberse atrevido a adorar a los dioses de sus esposas extranjeras? Si analizamos detenidamente lo que sucedió durante su reinado podremos encontrar otra respuesta.

Reyes más modestos

En Israel, la monarquía nació como una manera de defenderse de los enemigos, especialmente de los filisteos. Frente a éstos, el joven Saúl organizó un pequeño ejército para ofrecer protección militar a la gente. Así se convirtió en el primer rey de Israel. ¿Y quién mantenía al nuevo gobernante y a sus soldados? La población, a cambio del servicio de defensa, le pagaba un tributo, es decir, le daba una contribución en forma de productos agrícolas y de algunos servicios gratuitos.

Como justamente en esa época la agricultura israelita acababa de entrar en una revolución tecnológica, gracias a la introducción del buey como animal de tracción del arado, los campesinos pudieron conseguir fácilmente la producción excedente para mantener al rey.

Cuando subió al trono su sucesor David, el aparato estatal creció. En vez de voluntarios, como tenía Saúl, David contrató un ejército profesional, y aumentó el número de sus oficiales y funcionarios. Pero aún así, las condiciones no variaron para la gente. Como David vivió en permanente guerra con sus vecinos, esto le permitió mantener la corte con lo que saqueaba a los enemigos, y con los impuestos aplicados a estos pueblos sometidos.

Justificar la monarquía

Pero cuando ocupó el gobierno Salomón, tercer rey de Israel, las cosas cambiaron. Subió al poder en un período de paz, ya que todos los pueblos vecinos habían sido conquistados por su padre David. Y esta ausencia de guerras llevó a que el pueblo se cuestionara sobre la obligación de mantener al rey y a su aparato estatal. ¿Qué necesidad había ya de la monarquía, si no prestaba ningún servicio a la población?

Fue entonces cuando a Salomón se le ocurrió una novedosa idea: a cambio del tributo ofrecería al pueblo obras públicas relacionadas con la religión. El rey construiría una casa para Dios en Jerusalén, y el pueblo aportaría la mano de obra, además del mantenimiento de la corte. De esta forma, el trabajo de construcción del Templo sustentaría a la monarquía salomónica.

Los detalles de esta empresa aparecen minuciosamente relatados en el 1º libro de los Reyes. Allí nos enteramos de que, en realidad, Salomón no sólo proyectó la construcción de un grandioso Templo, sino que le añadió una serie de edificios adyacentes, entre los que figuraba: a) la Casa de los Bosques del Líbano, así llamada por sus finísimas columnas de madera de cedro; b) la Sala de las Columnas, dotada con un amplio pórtico; c) la Sala del Trono, desde donde el rey administraba justicia; y d) el propio Palacio, donde el rey vivía con sus esposas (1 Rey 7,1-8).

La esclavitud del hermano

La construcción del Templo llevó siete años de trabajo. Y el resto de los palacios, trece. En total, 20 años de esfuerzo y de sacrificio.

El gran error de Salomón fue el haber recurrido, para estas labores, a las famosas "levas". ¿Qué eran las levas? Era el "trabajo forzado" impuesto a los ciudadanos, los cuales en condiciones casi de esclavos tenían que trabajar gratuitamente para el rey. Miles y miles de israelitas se vieron, así, arrancados de sus familias y organizados en brigadas de trabajos. Éstas eran de tres clases: 30.000 transportaban los materiales de construcción, 70.000 los cargaban, y 80.000 picaban las piedras en las canteras. Bajo las órdenes de 3.300 capataces, los obreros trabajaban un mes y luego descansaban dos en sus casas.

Para darnos una idea de lo que esto significaba, basta pensar que las piedras empleadas en los cimientos de los edificios medían entre 4 y 5 metros de largo, y que debían ser cortadas, talladas, emparejadas y transportadas cuidadosamente por los pobres operarios israelitas.

El comienzo del cataclismo

Pero la situación se volvió dramática cuando en las nuevas construcciones se empezó a emplear materiales y mano de obra calificada, provenientes del exterior. Ahí comenzó la verdadera desgracia para Israel.

En efecto, Salomón necesitaba madera de cedro, imposible de hallar en su país. Había que traerla de afuera. Y el monopolio de esta madera lo tenía Jiram, rey de la ciudad portuaria de Tiro.

Salomón, entonces, envió mensajeros a la ciudad de Tiro para comunicar a Jiram su proyecto y solicitarle la materia prima necesaria, así como los operarios especializados para cortarla. Es difícil saber cuánta madera importó Salomón, pero ciertamente pagó bien caro por ella y por el servicio especial de carpintería. A cambio, se comprometió a suministrar provisiones y productos del campo, que eran la única riqueza de los israelitas.

Por la Biblia conocemos el monto de la deuda: Jiram recibía cada año ¡8 toneladas de trigo y 8.000 litros de aceite! (1 Rey 5,25). Y el texto bíblico aclara que se trataba de "aceite de oliva molida", es decir, aceitunas no aplastadas del todo sino apenas prensadas. Esto producía un aceite de primera calidad. ¡Imaginemos la cantidad necesaria para conseguir 8.000 litros. ¿Y quién pagaba esta deuda externa? Los pobres campesinos, que en sus tierras se veían obligados a producir todo esto.

Los inspectores de impuestos

Pero la población no sólo cargaba con el abastecimiento al rey de Tiro, sino también debía abastecer a la corte salomónica. Según el texto bíblico, cada día el pueblo le entregaba a ésta 12 toneladas de harina especial y 24 toneladas de harina común. Lo cual en un año significaba 4.380 toneladas de harina especial y 8.760 toneladas de harina común.

Y el palacio no vivía sólo de harina. El consumo diario de carne (un verdadero lujo en Israel), era de diez bueyes bien engordados, veinte bueyes criados con pasto y cien ovejas; aparte de los venados, las gacelas, los ciervos y las aves cebadas de las cuales no se nos da la cantidad (1 Rey 5,2-3).

El sufrido campesinado israelita, pues, debía mantener a dos considerables aparatos estatales.

¿Y cómo hacía Salomón para recaudar todo este tributo? Mediante una eficiente administración, había dividido el país en doce distritos con doce gobernadores al frente, para que uno por mes se encargara de mantener al palacio real (1 Rey 4,8-19).

Lo más doloroso para muchos fue constatar que únicamente el territorio del norte (es decir, el territorio que después terminó separándose), estaba incluido en los distritos, y por lo tanto en los impuestos y en las levas. La zona sur, de donde procedía el rey, se hallaba exenta de todo.

En aguas desconocidas

Cuando Salomón conoció al rey Jiram de Tiro, su proveedor de maderas, quedó deslumbrado por la intensa actividad comercial que éste desarrollaba por vía marítima. Y se propuso imitarlo.

Para ello construyó un puerto llamado Esyon Gueber al sur, en el Mar Rojo. Pero los israelitas no tenían idea de la navegación. Toda su vida habían vivido en medio del desierto y desconocían los secretos del mar. Entonces Salomón volvió a contratar los servicios de especialistas fenicios para construir naves y para que les dieran clases de navegación a los hebreos.

De este modo, con las nuevas embarcaciones armadas con más madera importada, y tripuladas por servidores de Salomón guiados por marineros fenicios, todo lo cual incrementaba el monto de la deuda externa, se inició una intensa actividad mercantil por los mares del sur.

¿Qué salieron a buscar las naves de Salomón? Fueron en busca de oro, que no existía en Palestina, y que emplearían en la decoración del Templo y del palacio real. ¿Y hacia donde marcharon? Nada menos que hacia Ofir, una localidad hoy desconocida pero que en aquel tiempo tenía fama de contar con el oro de mejor calidad.

La cantidad de metal precioso traído por la flota de Salomón es realmente asombrosa: 420 talentos, que equivalen a ¡15.000 kilogramos! (1 Rey 9,28). Pero no sólo eso importaron. También madera de sándalo, piedras preciosas, plata, marfil, monos y pavos reales.

¿Y con qué realizaban las naves israelitas el intercambio comercial? Como vimos, Israel no disponía de otros productos que los agrícolas. Por lo tanto, éstos debieron de haber sido el material de trueque utilizado para conseguir los artículos importados. La actividad marítima de Salomón, pues, significó más tributos sobre los exhaustos campesinos.

La soberanía amenazada

Falta mencionar aún otra fuente de erogaciones: el equipamiento militar, es decir, los carros de guerra con sus caballos. Salomón importaba los primeros de Egipto, y los segundos de Cilicia, en Asia Menor. Cada carro costaba al tesoro real 600 siclos de plata, y cada caballo 150 siclos, lo cual equivalía a 7 kilos de plata y 2 kilos de plata respectivamente.

El rey llegó a tener 1.400 carros y 12.000 caballos (1 Rey 10,26-28). ¿Cómo consiguió la plata necesaria para adquirir el equipamiento del ejército? Del impuesto a los pobres súbditos norteños.

Y cuando Salomón finalizó con sus obras, aprovechó las levas que tenía para ocuparlas en otras tareas: rellenó el inmenso valle que separaba la ciudad de la colina del Templo, edificó las murallas de Jerusalén, fortificó varias ciudades, construyó caballerizas y guarniciones para sus tropas, modernizó los almacenes para los productos recibidos por el tributo, y finalmente levantó los santuarios paganos para los dioses extranjeros de sus esposas (1 Rey 9,15-24).

Cuando todo estuvo concluido, la deuda externa de Salomón con el rey de Tiro era tan grande que no podía pagarla. Y debió entregarle nada menos que 20 ciudades israelitas de la Galilea, como parte de pago (1 Rey 9,11). El boato de Salomón había llevado a minar nada menos que la soberanía nacional.

Una costosa ostentación

Madera de cedro y de sándalo, mano de obra especializada, caballos y carros de guerra, oro y marfil, plata y artículos de lujo, monos y pavos reales, ciertamente elevaron a Jerusalén a una situación admirable y dieron mucho brillo y esplendor a la corte del Salomón. Pero significó un doloroso sacrificio para el pueblo de Israel, que tuvo que cargar con el fausto de la corte.

Durante los cuarenta años de gobierno salomónico los israelitas se vieron expoliados y utilizados. Como obreros, en la construcción de obras públicas, en el armazón de barcos y en el servicio militar. Como campesinos, que aportaban para el mantenimiento de funcionarios, de cortesanos y del ejército. Como agricultores, buscando rendir más para sostener el comercio exterior. A pesar del lujo, nunca en su historia Israel había sufrido tanta pobreza como en tiempos de Salomón.

Pero los súbditos de Salomón jamás se quejaron. El monarca había sabido presentar tan bien sus obras de gobierno destinadas "para la gloria de Dios", y los edificios construidos aparecían recubiertos de tal nimbo religioso, que sirvieron de poderosa cobertura ideológica, garantizando el sometimiento y el sacrificio de los gobernados. Incluso el autor del 1º libro de los Reyes cayó en la trampa y se dejó convencer ya que, a pesar de contar todo esto, en ningún momento de su obra critica a Salomón por las tareas realizadas.

El dolor de Dios

Pero a la muerte de Salomón las cosas cambiaron. Los campesinos del norte ya no quisieron saber nada de impuestos y de servicios gratuitos, y se lo hicieron saber al sucesor del trono, Roboam. Este se negó a modificar la estructura existente y aseguró que mantendría el mismo sistema opresivo y explotador de su padre Salomón. Fue entonces cuando las tribus del norte, las peor tratadas, las más sufridas y explotadas del reino, en una reunión realizada en Siquem lanzaron su grito de rebelión: "¿Qué tenemos que ver nosotros con el sur? Volvamos a nuestras casas. Que ellos paguen sus propias deudas". Y se consumó el cisma.

La división del Reino de Salomón, que tan graves consecuencias tuvo para la historia de Israel y que jamás volvió a subsanarse, no se debió, pues, a un castigo de Dios por los templos paganos de Salomón, sino a la forma injusta y opresiva con que el rey emprendió la tarea constructora del suntuoso Templo de Jerusalén.

Pero nada de esto dice la Biblia. El autor del libro de los Reyes está encantado con el Templo y no descubre nada malo en ello. Por eso, para explicar por qué Dios "castigó" al Reino con la división recurre a la actitud religiosa desviada del monarca. Pero nosotros sabemos que no fue así; que fue por la falta de amor a sus súbditos.

Dios no se enojó con Salomón por sus templos paganos. Porque Dios no se enoja por las actitudes poco «religiosas» del hombre. Ni por la falta de observación "técnica" de las devociones. A Dios le duele cuando se hace sufrir a un hermano, cuando se le niegan las posibilidades de futuro, cuando se lo oprime, amedrenta, o explota porque son más débiles. A Dios le duele cuando, con el pretexto de la ideología religiosa (o cualquier otra ideología), se manipula la conciencia ajena para provecho personal. A Dios le afecta cuando algunos, para mantener la vida holgada de otros, deben postergar sus vidas, mientras postergan su felicidad para un mañana que nunca llega. El mismo Jesús se encargó de explicar a dónde le duele a Dios: "Les aseguro que lo que le hicieron a uno de estos hermanos míos más pequeños, a mí me lo hicieron" (Mt 25,40).

Para reflexionar

1) ¿Por qué Salomón se casó con tantas mujeres?

2) ¿Cuál fue la razón que movió a Salomón a edificar el Templo de Jerusalén?

3) ¿Qué es lo que despertó el descontento social durante el reinado de Salomón?

4) ¿Por qué las construcciones del monarca pusieron en peligro la soberanía nacional?

5) ¿Qué lecciones podemos aprender del mal gobierno de Salomón?

Para continuar la lectura

J. PIXLEY, *Historia de Israel desde la perspectiva de los pobres*, Palabra Ediciones, México 1989.

¿POR QUÉ DIOS ATORMENTÓ A JOB CON ENFERMEDADES?

Un hombre de mal carácter

Todos han oído hablar del "santo Job" y de la grandiosa resignación con la que supo enfrentar las tragedias de su vida. De la sumisión y conformidad que mostró ante las pruebas terribles que Dios le envió. Al punto tal que hoy resulta proverbial hablar de la "paciencia de Job".

Pero si nos ponemos a hojear el libro de la Biblia que lleva su nombre, quedamos estupefactos. Nunca nadie insultó tanto a Dios como Job. Ningún otro personaje bíblico le dirigió palabras tan injuriosas y agraviantes. Ni siquiera los enemigos de Dios en las Sagradas Escrituras se atrevieron jamás a proferir los ultrajes e insolencias que oímos de labios de Job contra el Señor. ¿Dónde está la paciencia de Job? ¿De dónde hemos sacado esa figura callada y sumisa que todos conocemos?

Empecemos aclarando que Job no existió realmente, sino que se trata de una novela compuesta sólo para dejar una enseñanza sobre el dolor. Y para entender esa novela hay que tener presente que el tema del dolor pasó por diferentes etapas a lo largo de la historia de Israel.

En los tiempos más antiguos, los judíos pensaban que al morir el hombre se acababa su existencia. La idea de la resurrección era completamente ignorada. Por eso estaban convencidos de que Dios bendecía a los buenos y castigaba a los malos mientras vivían en este mundo, ya que después de la muerte no esperaban nada más. Es lo que enseñaban los Proverbios (11,3-8; 19,16;) y repetían los Salmos (37,1-9; 49,6-18).

Por culpa de un bisabuelo

Y para explicar por qué no siempre a los buenos les va bien y a los malos les va mal, los israelitas recurrieron a un principio muy arraigado entre ellos: el de la "personalidad corporativa". Según éste, todo hombre es parte de una familia, de un clan, de una tribu. Y los premios y castigos divinos no se daban de acuerdo con la conducta del individuo, sino según el comportamiento de la familia o el grupo.

Es lo que el Éxodo decía: "Yo, Yahvé, soy un Dios celoso. El pecado cometido por los padres, lo castigo en los hijos hasta la tercera y cuarta generación. Y a los que me aman y cumplen mis mandamientos los perdono durante mil generaciones" (20,5-6). Y en otras partes se repite: "Dios castiga el pecado de los padres en los hijos y en los nietos, hasta la tercera y cuarta generación" (Éx 34,7; Núm 14,18; Deut 5,9).

Por eso, en el famoso relato donde Abraham trata de salvar a Sodoma y Gomorra de la destrucción divina, le pregunta a Dios: "Si hay 50 justos ¿perdonarás a toda la ciudad?" Y Dios contesta: "Sí; pero si no hay 50 justos destruiré a toda la ciudad". "Y si hay 45 justos, ¿perdonarás a toda la ciudad?". "Sí; pero si no hay 45 justos destruiré a toda la ciudad" (Gn 18,23-32). Es decir, a Abraham no se le hubiera ocurrido preguntar: "Si hay 50 justos, ¿salvarías sólo a esos 50?", porque sabía que tanto el perdón como el castigo era para toda la comunidad.

Del mismo modo, dice el Génesis que como Noé era un hombre justo (6,8) se salvaron también su mujer, sus tres hijos y sus nueras (6,18).

El primero en desconfiar

Esta idea eliminaba todo posible escándalo frente a las injusticias de la vida. Si algún inocente sufría, le respondían: "Estarás pagando la culpa de tu padre, tu abuelo, o algún otro familiar". Y si un malvado prosperaba, se decía: "Dios lo bendecirá gracias a un antepasado suyo".

Y así vivieron felices muchas generaciones de israelitas, convencidos de que Dios recompensaba a todo hombre mientras vivía en este mundo.

Pero alrededor del siglo VII a.c. las cosas comenzaron a cambiar. El país atravesó por circunstancias muy difíciles, y la angustia y el dolor se apoderaron de los israelitas, debido a que empezaron a padecer sangrientas invasiones de pueblos vecinos. Entonces entró en crisis la respuesta tradicional que los teólogos daban al sufrimiento. Por primera vez se planteó, entre la gente, la injusticia que significaba que Dios hiciera pagar a los hijos buenos por las culpas de sus padres malvados, o que premiara a hijos malos gracias a que habían tenido padres buenos.

El primero en criticar esta actitud divina fue el profeta Jeremías. Alrededor el año 620 a.C, en una célebre queja contra Dios le decía: "Sé que si discuto contigo tú tendrás razón. No obstante, quiero hacerte una pregunta: ¿por qué tienen suerte los malos, y son felices todos los pecadores?" (Jer 12,1).

La misma gente, molesta con este absurdo comportamiento de Dios, había acuñado un proverbio que decía: "Los padres comen frutas agrias, y a los hijos se les irrita la boca" (Jer 31,29; Ez 18,2).

El aporte de Ezequiel

Cuando en el año 587 a.C la catástrofe se abatió sobre Jerusalén, y la ciudad fue destruida y saqueada, los teólogos se convencieron de que Dios no podía seguir haciendo sufrir a unos por culpa de otros.

Entonces un profeta llamado Ezequiel, inspirado por Dios, empezó a predicar una idea revolucionaria: Dios nunca más pedirá cuentas a nadie por los pecados de sus parientes, ni por las faltas de su familia. Cada uno será castigado únicamente por sus propios pecados y será bendecido por sus propios actos buenos (Ez 12,14-23; 18,1-20).

De esta manera abandonaba para siempre el principio de la personalidad corporativa, e inauguraba el de la "responsabilidad personal".

Ezequiel produjo un gran avance en la revelación, y con él se inicia una nueva mentalidad en la enseñanza sobre el dolor: que la salvación o condenación de una persona depende exclusivamente de él, y no de sus antepasados o su familia.

Otra crisis de la teología

El nuevo principio enseñado por Ezequiel, si bien dejó más tranquilos a los israelitas, no iba tampoco a durar demasiado.

Porque a medida que transcurría el tiempo, los judíos comprobaban que mucha gente pecadora y sin principios religiosos, gozaba de mayor bienestar y prestigio, y tenían mejores ganancias en la vida que quienes cumplían la Ley de Dios. Éstos, por mantenerse fieles a su fe, muchas veces terminaban en la pobreza, o sufrían persecuciones. A ello se agregaba el dolor de las muertes prematuras, de las viudas abandonadas en la miseria, de los huérfanos obligados a mendigar en la calle.

Para peor, la única posibilidad que Dios tenía de hacer justicia entre buenos y malos era en este mundo, porque no se conocía aún la existencia de otra vida posterior.

Por eso, cuando alguna persona buena sufría, no quedaba más remedio que decirle: "Examina tu conciencia; algún pecado tendrás para que Dios te haya mandado estos dolores". Y si a un pecador le iba bien se pensaba: "Es que en el fondo será una buena persona".

Pero estas respuestas no eran muy convincentes, pues contradecían la realidad. Por eso unos cien años más tarde, en el siglo V a.C., algunos judíos se revelaron otra vez contra la enseñanza oficial del sufrimiento, y pusieron en duda el principio de Ezequiel, según el cual Dios bendecía a los buenos y castigaba a los malos en este mundo.

El héroe inaccesible

Es en medio de esta nueva crisis cuando un escritor, perteneciente al ala progresista de los teólogos de Israel, decidió escribir un libro para protestar contra los teólogos tradicionales por la respuesta que daban ante el problema del sufrimiento (la única que podían) y que era: "Examina tu vida, tienes que haber cometido algún pecado para merecer estas desgracias".

Para ello se valió de un viejo cuento popular, en el que un hombre bueno y justo llamado Job es atormentado por Dios con tremendas pruebas y castigos; sin embargo no abre la boca, ni se queja, ni se rebela, sino que acepta con resignación todo lo que Dios le manda. Entonces Dios, viendo su paciencia, le devuelve el doble de lo que le había quitado.

El cuento (que abarcaba entonces sólo los capítulos 1-2 y 42 del actual libro), era un exponente de la teología oficial, y quería mostrar cómo Dios siempre recompensa en esta tierra a todos los buenos. Por eso presentaba a un Job sumiso, paciente y resignado a lo que Dios le mandara, por doloroso e injusto que pareciera.

Un cuento partido en dos

El cuento, así como estaba, era demasiado lindo para ser cierto. Enseñaba una moral que no se basaba en los datos de la experiencia cotidiana. Un Job sereno y callado, frente a tanto sufrimiento, no era real. Y un héroe irreal se convierte en inimitable.

Entonces el autor del libro decidió hacer hablar a Job y quejarse por el dolor y las injusticias que le tocaba sufrir. Para ello tomó el viejo cuento, lo partió por la mitad y lo convirtió en un prólogo (capítulos 1-2) y en un epílogo (capítulo 42). Y en le medio insertó una larga serie de lamentos y protestas de Job ante la injusticia que sufría de parte de Dios (capítulos 3-41)

Por eso tenemos actualmente en el libro a dos Jobs. Uno, el antiguo héroe sumiso, paciente y callado de la creencia popular, se halla en el prólogo y el epílogo (capítulos 1-2 y 42). Y el otro, el Job rebelde, atrevido y antagonista de Dios, en el medio de la obra, que es la parte más importante (capítulos 3-41).

Para poder hacer hablar a Job, el autor hace aparecer a tres amigos, llamados Elifaz, Bildad y Sofar, que un día vienen a visitarlo en medio de su terrible dolencia. Durante siete días Job se mantiene en silencio. Pero finalmente no resiste más, y comienza a proferir amargas quejas. Maldice el día de su nacimiento, maldice a sus padres por haberlo concebido, maldice a Dios por haberle dado la vida, y lamenta no haber muerto en un aborto (c.3). Ahora sí Job empieza a parecer humano.

El enojo del autor

Toda el libro, pues, consiste en una larga discusión entre Job y sus tres amigos. Éstos quieren convencerlo de que algún pecado debió haber cometido para sufrir de esa manera, pues Dios no manda desgracias injustamente; Job haría bien en revisar su vida y arrepentirse para que Dios lo perdone y le devuelva la felicidad.

La postura de los tres amigos representa, como hemos dicho, la teología oficial que el autor quiere criticar, es decir, lo que los teólogos del siglo V repetían a la gente para explicar el problema del dolor.

En cambio Job representa lo que el autor pensaba. Y por eso, enfurecido contra sus tres visitantes, los tilda de "charlatanes", "médicos matasanos", "que sólo muestran inteligencia cuando se callan". Y a sus enseñanzas las llama "recetas inservibles" y "fórmulas de porquería".

En sus largos y airados discursos Job arremete incluso contra Dios, que en realidad no es más que la imagen de Dios que la teología de la época mostraba. Y lo acusa de cosas tremendas: de ser un malvado, una fiera, un triturador de cráneos; de gozar con el sufrimiento inocente, de ser caprichoso, de no escuchar la oración de nadie, de estar de parte de los malvados.

Y en el colmo de su ira llega a negar las cualidades principales de Dios: su bondad, su santidad, su sabiduría y su justicia. Jamás nadie se había atrevido a insultar tanto a Dios.

La aparición de Dios

Después de nueve virulentos discursos, en los cuales por un lado los tres amigos se empeñan en culpar a Job de pecador, y por el otro Job los acusa a ellos de querer convencerlo con argumentos inconsistentes y prefabricados, el diálogo se agota. ¿Quién de los dos tiene razón?

El autor del libro, al llegar al final, debe hacer aparecer a Dios. Está en juego su prestigio. Ha sido desafiado, se le han imputado graves cargos, y hasta su bondad y justicia han sido puestas en duda.

Pero el problema era que el autor no sabía qué hacerle decir a Dios, porque él mismo no sabía la solución. Ignoraba por qué los justos sufren tantas pruebas y desgracias en este mundo. Al ser aún desconocida la idea de la resurrección, el autor no sabía que el fin de los justos no es la muerte sino el premio de otra vida mejor, en la que Dios recompensará a cuantos han sido fieles a su voluntad. Este descubrimiento llegará varios siglos más tarde.

Entonces, no sabiendo qué poner en boca de Dios, el autor le hace decir: "¿Quién eres tú para pedirme explicaciones a mí? ¿Acaso tienes mi sabiduría y mis conocimientos? ¿Acaso has vivido tantos años como yo? ¿Acaso tienes mi poder? Entonces cállate. No debes cuestionarme". Y luego lo hace pronunciar un largo discurso formado con preguntas difíciles, sobre los secretos más recónditos de la naturaleza y el cosmos, cuyas respuestas sólo Dios puede conocer. De esta manera, éste le dice a Job que nadie debe pedirle explicaciones de su obrar en el mundo.

Así, aunque el autor del libro no aporta ninguna solución al enigma del dolor, al menos realiza un descubrimiento importante: que no todos los que sufren son pecadores ni están pagando alguna falta personal; que puede haber gente inocente y buena que esté sufriendo, como Job, aunque el por qué de este sufrimiento no sea posible conocerlo por los hombres sino que está reservado sólo a Dios.

El amigo inesperado

El libro de Job, una vez terminado, resultó ser un libro violento, anticonformista y provocativo. Y cuando lo leyeron algunos teólogos se sintieron molestos, no sólo por lo que decía Job sino también por lo que decía Dios, ya que les parecía una contestación insuficiente y pobre.

Entonces un autor posterior, que creía tener una respuesta mejor para el problema del dolor, compuso nuevos discursos y los agregó como discurso de un cuarto amigo, llamado Elihú. Son los capítulos 32-37.

Que los discursos de Elihú son añadidos de un autor distinto se nota por varias razones: Elihú aparece bruscamente y sin previo aviso, contradiciendo al prólogo y al epílogo que mencionan sólo a tres amigos de Job; interviene en una discusión ya cerrada como él mismo reconoce; además, el estilo y las expresiones de sus discursos son diferentes a los del resto del libro.

¿Y cuál es la respuesta que tiene para dar Elihú? A lo largo de su exposición, este nuevo visitante explica que el sufrimiento posee un valor positivo para el hombre pues lo ayuda a crecer y madurar; que todo dolor es educativo, y que forma parte de la pedagogía divina.

Si bien esta solución significó un cierto progreso (pues no encerraba en el misterio divino el drama del sufrimiento sino que al menos trataba de hallarle una respuesta), de todos modos aún no arrojaba la verdadera luz al problema. Será Cristo quien traerá la solución.

Un libro precristiano

El libro de Job fue escrito para iluminar una de las cuestiones más angustiantes de todos los tiempos: la de la enfermedad y el sufrimiento del hombre. Y la respuesta de su primer autor era que cuando un hombre sufre, no por eso es un pecador; que también los justos pueden sufrir. Pero que sólo Dios sabe el por qué, y que no hay que pedir explicaciones porque es parte del misterio divino.

Esta era ya una buena respuesta. Pero en una segunda edición del libro, otro autor, habiendo madurado mejor las cosas y avanzado un poco más en la revelación, propuso una nueva solución: que el sufrimiento tiene un valor salvífico y que sirve para purificar y santificar a los hombres.

Sin embargo ninguna de estas soluciones son del todo correctas. Aún faltaban 400 años para que llegara Jesucristo y diera la respuesta cristiana: que ni a la enfermedad ni al sufrimiento los manda ni los quiere Dios; que tampoco los "permite" (en el sentido de que podría impedirlos), ni envía "pruebas" al hombre. Que los sufrimientos son causados por los seres humanos y que nos golpean a todos por igual, porque estamos inmersos en el mismo mundo. Pero que con el amor podemos reponernos y redimir el dolor, tanto el nuestro como el ajeno.

Los cristianos no debemos, por lo tanto, emplear el libro de Job para consolar las angustias de nuestra vida porque, como vemos, su respuesta aún es incompleta. Pero conocer el trasfondo de esta obra ayuda a entender cómo Dios no violenta el conocimiento de los hombres, sino que los va llevando mediante una pedagogía progresiva, hacia una mejor comprensión de su proyecto, de sus ideas y de su amor, a lo largo de la historia.

Para reflexionar

1) ¿Cuál es la imagen que popularmente tiene la gente de Job?

2) ¿Por qué los israelitas creían que las enfermedades y la muerte eran un castigo por el pecado de algún antepasado nuestro?

3) ¿Conoces gente que aún hoy siga pensando así?

4) ¿Cuál es la enseñanza del libro de Job?

5) ¿El libro de Job tiene una respuesta cristiana para el dolor? ¿Por qué?

6) ¿Cuál es la respuesta de Jesucristo ante el dolor y el sufrimiento?

Para continuar la lectura

J. LÉVEQUE, *Job, el libro y el mensaje*, Cuaderno Bíblico Nº 53, Editorial Verbo Divino, Estella (Navarra) 1986.

¿NACIÓ JESÚS UN 25 DE DICIEMBRE?

La noche grande

La noche del 24 de diciembre millones de personas en todo el mundo conmemoran, con profunda emoción, otra noche de hace dos mil años, en la que Jesucristo vino al mundo en una pobre gruta de animales.

Ninguna otra celebración religiosa, ni siquiera la Pascua que es la más importante de las fiestas cristianas, tiene la carga de ternura y recogimiento que encierra la Navidad. Ese día en muchas partes del mundo se suspenden las guerras, se conceden indultos, se saludan quienes no se hablaban, y la gente es capaz de ser más amable y generosa de lo que es el resto del año. El 25 de diciembre parece, pues, tener un toque casi mágico.

Pero ¿Jesucristo nació realmente ese día? No. El 25 de diciembre no es la fecha histórica del nacimiento del Señor. ¿Cuál es, entonces, el día exacto? No lo sabemos. Sí es posible saber el año de su nacimiento (fue, aunque suene extraño, alrededor del año 7 antes de Cristo). Pero saber el día resulta imposible con los datos que disponemos actualmente.

El mes improbable

Si quisiéramos atenernos a las informaciones bíblicas debemos concluir que, casi con certeza, no pudo haber nacido en diciembre. Porque san Lucas dice que la noche en que él nació "había cerca de Belén unos pastores que dormían al aire libre en el campo y vigilaban sus ovejas por turno durante la noche" (2,8). Y si tenemos en cuenta que diciembre es pleno invierno en Palestina, que en la región cercana a Belén caen heladas durante este tiempo, y que es la época de los promedios más altos de lluvias, difícilmente se puede pensar que en ese mes haya habido pastores al aire libre cuidando sus rebaños. Tanto los rebaños como los pastores permanecen dentro de los establos. Sólo a partir de marzo, al mejorar las condiciones climáticas, suelen pasar la noche a la intemperie.

Por lo tanto, si cuando nació Jesús había pastores con sus ovejas a la intemperie, pudo haber sido cualquier mes del año menos diciembre. ¿Por qué, entonces, celebramos la Navidad el 25 de diciembre?

Tormenta en la Iglesia

En los primeros siglos, los cristianos no mostraron interés en celebrar el nacimiento de Jesús. La razón era que, como en aquel tiempo se festejaba con gran pompa el cumpleaños del emperador, los cristianos no querían colocar a Jesús al mismo nivel que éstos. Así, en el año 245, Orígenes repudiaba la idea de celebrar la natividad de Cristo, como si fuera la de un emperador.

De todos modos, de vez en cuando salían aparecer algún teólogo que proponía una fecha para su nacimiento. San Clemente de Alejandría, en el siglo III, decía que era el 20 de abril. San Epifanio sugería el 6 de enero. Otros hablaban del 25 de mayo, o el 17 de noviembre. Pero no se llegaba a un acuerdo decisivo debido a la falta de datos y de argumentos ciertos para justificarla. Así, durante los tres primeros siglos la fiesta del nacimiento del Señor se mantuvo incierta.

Pero en el siglo IV ocurrió algo inesperado, que obligó a la Iglesia a tomar partido por una fecha definitiva y a dejarla finalmente sentada. Apareció en el horizonte una temible y peligrosa herejía que perturbó la calma de los cristianos y sacudió a los teólogos y pensadores de aquel tiempo. Era el "arrianismo", doctrina así llamada porque la había creado un sacerdote de nombre Arrio, en la ciudad de Alejandría de Egipto.

Extraordinario, pero no divino

Arrio era un hombre estudioso y culto, a la vez que impetuoso y apasionado. Tenía la palabra elocuente y gozaba de un notable poder persuasivo. Había nacido en Libia (norte de África) en el 256, y se había ordenado sacerdote en el 311. Hacia el 315 comenzó a desplegar una enorme actividad en Egipto. Sus prácticas ascéticas, unidas a su gran capacidad de convicción, le atrajeron numerosos admiradores. Pero Arrio pronto empezó a predicar unas ideas novedosas y extrañas.

¿Qué enseñaba Arrio? Su pensamiento puede sintetizarse en lo siguiente: Jesús no era realmente Dios. Era, sí, un ser extraordinario, maravilloso, grandioso, una criatura perfecta, pero no era Dios mismo. Dios lo había creado para que lo ayudara a salvar a la humanidad. Y debido a la ayuda que Jesús le prestó a Dios con su pasión y muerte en la cruz, se hizo digno del título de "Dios", que Dios Padre le regaló. Pero no fue verdadero Dios desde su nacimiento, sino que llegó a serlo gracias a su misión cumplida en la tierra.

La teoría de Arrio fascinó la inteligencia de muchos, especialmente de la gente sencilla, para quien era más comprensible la idea de que Jesús fuera elevado por sus méritos a la categoría de Dios, que el hecho grandioso e impresionante de que Dios mismo, en persona, hubiera nacido en este mundo en una débil criatura. El arrianismo, en el fondo, quitaba el misterio de la divinidad de Cristo, y ponía al alcance de la inteligencia humana una de las verdades fundamentales del cristianismo: que Jesús era verdadero Dios y verdadero hombre desde el momento de su concepción.

La habilidad dialéctica de Arrio y su fogosa oratoria no sólo lo llevaron a abrirse fácilmente camino entre las grandes masas, y a extenderse rápidamente en vastos territorios, sino que lograron convencer a numerosos sacerdotes, y a dos grandes obispos: Eusebio de Nicomedia y Eusebio de Cesarea.

Nace el credo

La prédica de Arrio desató una fuerte discusión religiosa dentro de la Iglesia, y los cristianos se vieron de pronto divididos por una dolorosa guerra interna. Fue una lucha general: emperadores, papas, obispos, diáconos y sacerdotes, intervinieron tempestuosamente en el conflicto. El mismo pueblo participaba ardorosamente en disputas y riñas callejeras. Unos decían: "Jesús no es Dios", y otros contestaban con vehemencia: "Sí, Jesús sí es Dios". La doctrina de Arrio se expandió de tal manera que san Jerónimo llegó a exclamar: "el mundo se ha despertado arriano".

En medio de este acalorado debate, se resolvió convocar a un Concilio Universal de obispos para resolver tan delicada cuestión, que contaba con detractores y defensores de ambos lados. Y el 20 de mayo del año 325, en Nicea, pequeña ciudad del Asia Menor, ubicada casi al frente de Constantinopla (que era por entonces la capital del Imperio), dio comienzo la magna asamblea. Participaron unos 300 obispos de todo el mundo y fue el primer Concilio Universal reunido en la historia de la Iglesia.

Los presentes en el Concilio, en su inmensa mayoría, reconocieron que las ideas de Arrio estaban equivocadas y declararon que Jesús era Dios desde el mismo momento de su nacimiento. Para ello acuñaron un credo, llamado el Credo de Nicea, que decía: "Creemos en un solo Señor Jesucristo, Hijo único de Dios, nacido del Padre antes de todos los siglos. Dios verdadero de Dios verdadero. Engendrado, no creado".

Al final del Concilio de Nicea el arrianismo fue condenado, y sus principales defensores debieron abandonar los puestos que ocupaban en la Iglesia.

Apropiarse de una fiesta ajena

A pesar de la derrota, Arrio y sus partidarios no se amedrentaron. Convencidos de estar en la verdad continuaron sembrando sus errores por toda la Iglesia. Y su prédica resultó tan eficaz que siguió logrando gran cantidad de adeptos, a tal punto que unos treinta años más tarde en muchas regiones no se encontraba un solo obispo que defendiera el credo propuesto en Nicea. Se habían hecho todos arrianos.

Frente a este panorama el Papa Julio I, que gobernaba entonces la Iglesia, comprendió que una manera rápida y eficaz de difundir la idea de la divinidad de Cristo, y así contrarrestar las enseñanzas de Arrio, era propagar la fiesta del nacimiento de Jesús, poco conocida hasta ese momento. En efecto, si se celebraba el nacimiento del Niño-Dios, la gente dejaría de pensar que Jesús llegó a ser Dios sólo de grande.

Pero para ello había que buscarle una fecha definitiva. ¿Y cuál elegir, si no se sabía a ciencia cierta qué día era?

Ante la falta de datos, alguien (no sabemos exactamente quién) tuvo una idea genial: tomar una fiesta muy popular del folclore romano, llamada "el día del Sol invicto". Se trataba de una celebración pagana antiquísima, traída a Roma por el emperador Aureliano desde Oriente en el siglo III, y en la cual se adoraba al sol como al dios Invencible.

Derrota de las tinieblas

¿Cómo había nacido esta fiesta en el Oriente antiguo? Es sabido que en el hemisferio norte, a medida que se va acercando diciembre (es decir, el invierno) se van acortando los días. La oscuridad se prolonga, y el sol se vuelve cada vez más débil para disipar el frío. Además, sale siempre más tarde y se pone más temprano. En el cielo se lo ve brillar con menos fuerza y menos tiempo. Todo hace temer su desaparición. Hasta que llega el 21 de diciembre, el día más corto del año, y la gente con la mentalidad primitiva de aquella época se preguntaba: ¿Desaparecerá el sol? ¿Las tinieblas y el frío ganarán la partida? ¡Triste destino nos esperaría en ese caso!

Pero no. A partir del 22 los días lentamente comienzan a alargarse. El sol no ha sido vencido por las tinieblas. Hay esperanzas de que vuelva a brillar con toda su intensidad. Habrá otra vez primavera, y llegará después el verano cargado de frutos de la tierra. El sol es invencible. Jamás las sombras ni la oscuridad podrán apagarlo.

Se imponía el festejo. Y entonces el 25 de diciembre, después de asegurarse que los días habían vuelto a alargarse, se celebraba el nacimiento del Sol Invicto.

Un sol por otro Sol

Ahora bien, para los cristianos Jesucristo era el verdadero Sol. Por dos motivos. En primer lugar, porque la Biblia así lo afirmaba. En efecto, en el siglo V a.C. el profeta Malaquías (3,20) había anunciado que cuando llegara el final de los tiempos "brillará el Sol de Justicia, cuyos rayos serán la salvación". Y como al venir Jesús entramos en el final de los tiempos, el Sol que brilló no pudo ser otro que Jesucristo. También el Evangelio de Lucas dice que "nos visitará una salida de Sol para iluminar a los que viven en tinieblas y en sombras de muerte" (1,78). Y el libro del Apocalipsis predice que en los últimos tiempos (es decir, los actuales) no habrá necesidad del sol, pues será reemplazado por Jesús, el nuevo Sol que nos ilumina desde ahora (21,23).

En segundo lugar, porque también a Jesús hubo un día en que las tinieblas parecieron vencerlo, derrotarlo y matarlo, cuando lo llevaron al sepulcro. Pero él terminó triunfando sobre la muerte, y con su resurrección se convirtió en invencible. Él era, pues, el verdadero Sol Invicto.

Estos argumentos ayudaron a los cristianos a pensar que el 25 de diciembre no debían seguir celebrando el nacimiento de un ser inanimado, de una simple criatura de Dios, sino más bien el nacimiento del Redentor, el verdadero Sol que ilumina a todos los hombres del mundo.

De este modo la Iglesia primitiva, con su especial pedagogía, bautizó y cristianizó la fiesta pagana del "Día natal del Sol Invicto", y la convirtió en el "Día natal de Jesús", el Sol de Justicia mucho más radiante que el astro rey. Y así el 25 de diciembre se convirtió en la Navidad cristiana.

Para enseñar a creer

La nueva fiesta del nacimiento de Jesús, pues, surgió en la Iglesia no tanto para contrarrestar el mito pagano del Sol que vence a las tinieblas del invierno, sino a las ideas de Arrio de que Jesús, al nacer, era un hombre común y que sólo después Dios lo adoptó con la fuerza de su Espíritu y lo convirtió en otro Dios.

Y gracias a la celebración de la Navidad, la gente fue tomando conciencia de que quien había nacido en Belén no era un niño común, sino un Niño-Dios. Y que desde el mismo instante de su llegada al mundo residía en él toda la divinidad.

El primer lugar donde se celebró la fiesta de Navidad fue en Roma. Y pronto se fue divulgando por las distintas regiones del Imperio. En el año 360 pasó al norte de Africa. En el 390, al norte de Italia. A España entró en el 400. Más tarde llegó a Constantinopla, a Siria y a las Galias. En Jerusalén sólo fue recibida hacia el año 430. Y un poco más tarde arribó a Egipto, desde donde se extendió a todo el Oriente. Finalmente en el año 535 el emperador Justiniano decretó como ley imperial la celebración de la Navidad el 25 de diciembre.

De este modo la fiesta de Navidad se convirtió en un poderosísimo medio para confesar y celebrar la verdadera fe en Jesús, auténtico y verdadero Dios desde el día de su nacimiento.

La mejor fecha

El 25 de diciembre no nació Jesucristo. Es una fecha simbólica. Sin embargo no pudo haberse elegido un día mejor para festejarlo. Y si alguna vez con los futuros descubrimientos llegara a saberse exactamente qué día nació, no tendría sentido cambiar la fecha. Habría que seguir celebrando el 25 de diciembre.

Porque lo que se pretendió al fijar ese día, más que evocar un hecho histórico, fue dejar un excelente mensaje.

En efecto, muchas veces cuando miramos a nuestro alrededor parece que las tinieblas nos rodearan por todas partes. Y los problemas, las preocupaciones, los dolores, los fracasos, las enfermedades parecen crecer de tal manera que uno llega a preguntarse: ¿Terminarán ahogándonos? Las injusticias, la miseria, la corrupción, la mentira, ¿lograrán sobreponerse? ¿Aumentarán tanto que llegará un día en que el mensaje de amor de Cristo desaparecerá? ¿Será vencido Jesús por tanto mal?

El 25 de diciembre es el anuncio de que Jesús es el Sol Invicto. Que jamás será derrotado, aún cuando a veces la vorágine del mundo parece que se lo ha tragado, o que no lo deja actuar.

El 25 de diciembre es el más grande grito de esperanza que tienen los hombres, y que nos recuerda que el Amor no es una utopía impracticable destinada al fracaso. Al contrario. Todo lo que se oponga a Jesús, desaparecerá. Porque él es el verdadero Sol Invicto.

Para reflexionar

1) ¿Cuáles fueron las circunstancias históricas que llevaron a la iglesia cristiana a fijar una fecha del nacimiento de Jesús?

2) ¿Cuál era el error de Arrio y de sus seguidores?

3) ¿Qué se festejaba en la antigüedad el 25 de diciembre?

4) ¿Por qué se eligió esa fecha para festejar el nacimiento de Jesús?

5) ¿Qué enseñanza nos deja la elección de esta fecha a los cristianos?

Para continuar la lectura

H. MERTENS, *Manual de la Biblia*, Editorial Herder, Barcelona 1989, pg 305.

¿CUÁNTOS ERAN LOS APÓSTOLES DE JESÚS?

Las cuatro listas

Es común hablar de los "doce apóstoles" de Jesús. Pinturas, cuadros y esculturas han hecho famosa la escena del Maestro rodeado por sus doce amigos íntimos y han contribuido a inmortalizar este número, que hoy resulta indiscutible. Pero ¿eran en realidad doce los apóstoles de Jesús?

En el Nuevo Testamento aparece cuatro veces la lista con los nombres de los doce apóstoles (Marcos 3,16-19; Mateo 10,2-4; Lucas 6,14-16 y Hechos 1,13). De allí podemos obtener algunos datos.

Si tomamos en primer lugar la lista de Mateo, veremos que comienza con Simón Pedro. Es uno de los apóstoles de quien más datos tenemos. Sabemos que era oriundo de Betsaida (Jn 1,44), pero que tenía su hogar en Cafarnaúm (Mt 8,14) donde se ganaba la vida como pescador en el lago de Galilea. Estaba casado (1 Cor 9,5) y vivía con su hermano Andrés y su suegra (Mc 1,29-30).

En poco tiempo, Pedro llegó a ocupar un lugar destacado dentro del grupo, ya que actúa como vocero de los doce en varias ocasiones. Él es el que pregunta en nombre de todo el grupo, por ejemplo, el significado de una parábola difícil (Mt 15,15), los detalles sobre el fin del mundo (Lc 12,41), cuántas veces hay que perdonar (Mt 18,21), qué recompensa les corresponde a ellos por dejarlo todo y seguir a Jesús (Mt 19,27), o por qué una extraña higuera se había secado (Mc 11,21).

Pedro es también quien responde por todos, cuando Jesús quiere saber la opinión de la gente sobre él (Mt 16,16), o si el grupo quiere marcharse y abandonarlo (Jn 6,68).

Apodos para tres

El segundo de la lista es Andrés, hermano de Simón Pedro. Al igual que éste, era oriundo de Betsaida y vivía en Cafarnaúm dedicado a la pesca. Antes de ser discípulo de Jesús, Andrés era discípulo de Juan Bautista. Pero un día lo descubrió al Señor, y entonces decidió abandonar a su primer maestro para seguir a aquél (Jn 1,35). Más tarde, Andrés llevó también a su hermano Pedro y se lo presentó (Jn 1,41). Y así fue como Pedro conoció a Jesús.

Santiago y Juan eran igualmente pescadores del lago de Galilea (Mc 1,19), y parece que gozaban de una buena posición económica ya que su padre Zebedeo era dueño de una pequeña empresa pesquera con varios empleados (Mc 1,20), donde trabajaba también Pedro (Lc 5,10). Además la madre de ellos, Salomé, era una de las mujeres que seguían a Jesús (Mt 27,56), financiando sus actividades misioneras con sus propios bienes (Lc 8,2-3).

Pedro, Santiago y Juan (sin Andrés) constituían un grupo especial dentro de los doce apóstoles, y eran de alguna forma los preferidos de Jesús, ya que con ellos tuvo ciertos privilegios. En efecto, sólo a ellos les permitió presenciar la transfiguración (Mc 9,2), la resurrección de la hija de Jairo (Mc 5,37) y su agonía en Getsemaní (Mc 14,33). Y únicamente a ellos les puso un nombre nuevo: a Simón lo llamó "Pedro"; y a Santiago y Juan "Boanerges", que significa "hijos del trueno" (Mc 3,17).

Ocho menos famosos

Los otros ocho apóstoles resultan menos conocidos.

De Felipe, el quinto de la lista, sólo sabemos que era también de Betsaida y, al parecer, muy amigo de Andrés (Jn 12,20-22).

De Bartolomé, el sexto, no conocemos nada.

De Tomás, el séptimo, se nos dice que tenía como apodo "el mellizo", pero no se cuenta de quién. Él fue quien convenció a los demás apóstoles para que acompañaran a Jesús a resucitar a Lázaro, porque tenían miedo (Jn 11,6-16); y el que dudó de las apariciones del Señor resucitado (Jn 20,24-29), por lo que suele llamárselo el incrédulo.

De Mateo se nos informa que era recaudador de impuestos.

De los tres apóstoles que siguen (Santiago hijo de Alfeo, Tadeo y Simón el zelote), no tenemos ningún detalle de sus vidas.

Y al final de la lista aparece Judas Iscariote, el que entregó a Jesús a las autoridades judías para que lo mataran.

Había que juntarlos

Esta lista de nombres de Mateo coincide con la de Marcos.

El problema aparece al compararla con las otras dos (de Lucas y Hechos). Porque en éstas aparece un apóstol nuevo: un tal Judas, hijo de Santiago (Lc 6,16; Hech 1,13).

¿Quién es este Judas? Como en estas dos listas no se encuentra Tadeo, la solución que se ha hallado es decir que este Judas (de Lc y Hech) es la misma persona que Tadeo (de Mt y Mc). Y lo llaman Judas Tadeo. Pero esta identificación carece de todo fundamento bíblico.

Si seguimos leyendo los Evangelios, veremos que Marcos narra la vocación de otro apóstol, llamado Leví, cobrador de impuestos. ¿Por qué tampoco figura en la lista de los doce? Aquí la tradición solucionó el problema del mismo modo: identificando a Leví con Mateo. Lo cual no es posible, porque Marcos presenta a Leví y a Mateo como personas claramente distintas: una en la lista de los nombres (Mc 3,18) y otra en el relato de su vocación (Mc 2,13-14).

Por su parte, el Evangelio de Juan relata la vocación de un apóstol llamado Natanael (1,45-51), que no está en ninguna de las cuatro listas. Para poder seguir manteniendo el número doce, la tradición lo identificó con Bartolomé, sin ninguna razón válida.

¿Más apóstoles?

Vemos, pues, cómo los Evangelios mencionan a más de doce apóstoles. Pero si continuamos buscando en el Nuevo Testamento, encontraremos que Pablo y Bernabé eran también apóstoles (Hech 14,14); que Silvano y Timoteo figuran como apóstoles (1 Tes 2,5-7); que "Santiago, el hermano del Señor", es llamado apóstol (Gál 1,19); que Apolo es apóstol (1 Cor 4,6.9); e incluso Andrónico y Junia (¡una mujer!) tienen el título de apóstoles (Rm 16,7).

¿Cuántos eran, al final, los apóstoles? A esta altura ya es evidente que no eran doce. Y el hecho mismo de que existían falsos apóstoles (2 Cor 11,13) demuestra que se trataba de un grupo más bien amplio, y que no se sabía exactamente cuántos y quiénes lo integraban.

¿Por qué entonces nosotros hablamos siempre de doce apóstoles? Los estudiosos de la Biblia, para responder a este problema, enseñan que hay que distinguir entre "los Doce" y "los apóstoles".

La profecía de la reunión

Hoy los biblistas sostienen, como dato histórico, que Jesús al comenzar su vida pública eligió a doce hombres para que lo acompañaran, lo ayudaran en sus tareas y fueran sus colaboradores más próximos.

¿Por qué doce? Por una razón muy simple. Antiguamente el pueblo de Israel había estado formado por doce tribus. Pero en el siglo VIII a.c., al sufrir una invasión por parte de los asirios, diez de ellas desaparecieron mezcladas con otros pueblos. En el siglo VI a.c., las dos tribus que quedaban también sufrieron la invasión de los babilonios, pero una de ellas pudo salvarse: la tribu de Judá (de donde viene el nombre actual de judíos).

¿Qué fue de la vida de las otras once tribus? ¿Por cuáles regiones desconocidas estaban diseminadas? ¿Acaso Dios permitiría que se perdiera una parte del pueblo elegido?

Frente a estas preguntas que se hacía la gente, los profetas predijeron que llegaría un día en que Dios volvería a reunir a las doce tribus de Israel. Isaías (27,12-13), Jeremías (29,14) Ezequiel (20,34), Sofonías (3,20), Miqueas (2,12), habían anunciado que al final de los tiempos el Señor traería a los israelitas dispersos por todo el mundo y los reuniría en un solo pueblo. Entonces el número "doce" volvería a ser la característica del pueblo de Israel.

Simplemente Doce

Recordando estas profecías, Jesús buscó entre sus seguidores a doce hombres, uno por cada tribu perdida, y los hizo sus discípulos inmediatos. Era una manera de decir que Dios estaba comenzando un nuevo pueblo, sobre el fundamento también de doce, pero de una manera nueva e insospechada. Las profecías, pues, se habían cumplido en Jesús. Los nuevos tiempos habían llegado.

Este significado del grupo de los doce debió de ser tan obvio, que los evangelistas ni siquiera se molestaron en explicarlo.

Pero los doce hombres elegidos por Jesús nunca se llamaron "apóstoles", sino simplemente los "Doce". ¿Por qué? Porque la palabra "apóstol" (del griego "apóstolos") significa "enviado". Y mientras Jesús vivió, los doce no fueron enviados a ningún lado. Estaban junto a él, lo acompañaban en sus viajes, lo ayudaban en sus milagros y curaciones, y de vez en cuando iban a predicar en su nombre, pero no los "envió" de un modo permanente. Siempre volvían a su lado.

Por eso la mayoría de las veces en los Evangelios no se les dice "los doce apóstoles", sino solamente los "Doce": "Jesús eligió a los Doce" (Mc 3,14); "le preguntaron los Doce" (Mc 4,10), "tomó a los Doce" (Mc 10,32); "salió con los Doce" (Mc 11,11); "reunió a los Doce" (Mt 20,17); "lo acompañaban los Doce" (Lc 8,1); "se le acercaron los Doce" (Lc 9,12); "Judas, uno de los Doce" (Jn 6,71).

La aparición de los apóstoles

Pero a partir de la resurrección de Jesús, los Doce comprendieron que el Señor los mandaba a predicar el evangelio a todos los pueblos. Entonces sí se sintieron "enviados", y decidieron crear el título de "apóstol" (= enviado) para designar esta nueva misión que tenían. Por eso los "Doce" recibieron también el título de "apóstoles", que nunca habían tenido en vida de Jesús.

Pero además de los Doce, muchas otras personas también se sintieron "enviadas" y quisieron salir a predicar el evangelio de Jesús (ex leprosos, ciegos curados, discípulos, gente que lo había conocido y escuchado).

¿Qué hacer con toda esta gente? Los Doce pensaron que no cualquiera podía ser un enviado oficial de Jesucristo, ya que existía el peligro de que la doctrina se desviara. Entonces resolvieron poner dos condiciones para que alguien más, aparte de ellos Doce, pudiera ser llamado apóstol: a) haber visto a Jesús resucitado; y b) haber recibido de Jesús la misión de predicar.

Los apóstoles primero

De esta manera se fue formando un grupo más amplio (pero no muy grande) de apóstoles, dedicados principalmente al anuncio y predicación del evangelio.

Que los "Doce" constituían un grupo distinto al de los "apóstoles" lo dice el mismo Pablo al hablar de las manifestaciones de Jesús resucitado: "Se apareció a Cefas, luego a los Doce... luego a todos los apóstoles, y en último lugar a mí" (1 Cor 15,5-8).

Poco a poco los Doce fueron desapareciendo. La última vez que se los nombra en el Nuevo Testamento es en Hechos 6,2 en la elección de los siete diáconos. Después no se los menciona nunca más.

Entonces los "apóstoles" pasaron a ser los de mayor prestigio y autoridad dentro de la Iglesia. Esto se refleja en la primera carta a los Corintios cuando dice: "Dios puso en la Iglesia en primer lugar a los apóstoles; en segundo lugar a los profetas; en tercer lugar a los maestros; luego a los que tienen el don de curar, de hacer obras de caridad, de gobernar, y de hablar en lenguas" (12,28). También la carta a los efesios pone en primer lugar a los apóstoles, al decir que Jesucristo "dio a unos ser apóstoles, a otros profetas, a otros evangelizadores, a otros pastores y maestros" (4,11).

Los nombres mezclados

Con el transcurso del tiempo desaparecieron también los apóstoles, ese grupo privilegiado de testigos de Jesucristo, y surgieron otros ministros nuevos, como los presbíteros, los diáconos, los obispos. Pero ya nadie volvió a tener el título oficial de apóstol.

Cuando a partir del año 70 se escribieron los Evangelios, los nombres de algunos de los Doce que acompañaron a Jesús se habían ido perdiendo, pues no se tuvo más noticias de ellos, y se habían mezclado con los de otros apóstoles posteriores. Por eso al confeccionar las diversas listas colocaron nombres diferentes.

Y como a los "Doce" hacía años que también se los llamaba "apóstoles", en algunas partes del Evangelio se mezclaron ambos títulos y pusieron "los doce apóstoles" (Mt 10,2; Lc 6,13), como si hubieran sido ellos los únicos apóstoles. De ahí procede nuestra confusión actual.

Todos en la lista

Cuando un líder está a punto de embarcarse en una empresa de grandes proporciones, lo primero que hace es elegir sus colaboradores. De ellos depende la eficacia del presente y el éxito del futuro en la obra que pretende realizar.

Eso fue lo que pensó Jesús. Y le dio tanta importancia, que para no equivocarse y elegir bien pasó toda la noche anterior en oración. Y al día siguiente, de entre sus discípulos eligió a los doce.

Pero hay una detalle que llama la atención. Los doce seleccionados para la gran empresa de Jesús eran hombres comunes. No poseían riquezas, ni formación académica, ni posición social. Sus actividades se desarrollaban en el mundo cotidiano. Tenían los problemas de la gente común. Eran hombres sin ventaja social alguna. ¡Y los eligió nada menos que para implantar el impresionante Reino de Dios!

Es que Jesús nunca ve lo que un hombre es, sino lo que puede llegar a ser. Y eso lo adivinó Jesús en aquellos doce escogidos. Vio que aquellos hombres ordinarios y simples, tocados por él, podían llegar a ser extraordinarios y grandes.

Pero los Doce no se acabaron. Y los apóstoles tampoco. Jesús quiere incorporarnos también a nosotros a su lista de hombres elegidos. No importa lo que somos. Importa lo que podemos llegar a ser. Y para ello, basta con que le digamos que sí, lo sigamos en todo, y dejemos que la órdenes de nuestra vida las dé sólo él.

Para reflexionar

1) ¿Cuáles son los libros del Nuevo Testamento que traen la lista de los apóstoles de Jesús?

2) ¿Qué diferencias hay entre estas listas?

3) ¿Cómo se llamó durante la vida de Jesús este grupo de hombres que lo seguían?

4) ¿Cuándo apareció el título de «apóstoles» y por qué?

5) ¿Quiénes son hoy los apóstoles de Jesús? ¿Qué tarea tienen?

Para continuar la lectura

RAYMOND E. BROWN, "Aspectos del pensamiento del Nuevo Testamento", en *Nuevo Comentario Bíblico San Jerónimo. Nuevo Testamento*, Editorial Verbo Divino, Estella (Navarra) 2004.

¿MURIÓ JESUCRISTO EN LA DESESPERACIÓN?

"Por qué me has abandonado"

Una de las frases más incomprensibles que jamás haya pronunciado Jesús, fue la que dijo antes de morir en la cruz. Tras varias horas de agonía, y presintiendo que su muerte era ya inminente, lanzó un grito terrible: "Dios mío, Dios mío, ¿por qué me has abandonado?" (Mt 27,46; Mc 15,34).

Estas misteriosas palabras, solamente contadas por Mateo y Marcos, siempre intrigaron a los lectores de la Biblia, que hasta el día de hoy se preguntan cómo pudo escapársele a Jesús semejante queja.

¿Sintió, acaso, que su misión había fracasado? ¿O percibió que Dios, su único apoyo durante la vida, le falló a la hora de la muerte? ¿Pensó Jesús que moría como un hijo abandonado por su padre?

Tomadas al pie de la letra, tales palabras podrían hacernos creer que Jesús murió en la desesperación.

La amargura de un rezo

Pero no fue así. Jesús al pronunciar esa frase en realidad estaba rezando un Salmo. En efecto, si buscamos en nuestras Biblias, veremos que el Salmo Nº 22 empieza precisamente así: "Dios mío, Dios mío, ¿por qué me has abandonado?" Y continúa: "A pesar de mis súplicas mi oración no te llega. Dios mío, de día te grito y no respondes. De noche, y no me haces caso".

¿Por qué Jesús pronunció un Salmo tan amargo y desalentador en el momento de morir?

Más bien sucede lo contrario. El Salmo 22, titulado "Oración de un justo que sufre", es uno de los Salmos más esperanzadores de toda la Biblia. La primera parte describe los sufrimientos por los que atraviesa un hombre inocente (v.2-23). Pero la segunda (v.24-32) es un magnífico acto de confianza en que Dios lo librará de todas esas angustias. El final dice: "Fieles del Señor, alábenlo; porque no ha sentido desprecio ni repugnancia hacia el pobre desgraciado; nunca le negó ayuda; cuando pidió auxilio lo escuchó; los que buscan a Dios lo alabarán y vivirán eternamente; a mí me hará vivir para él; mi descendencia lo servirá y hablará del Señor a las generaciones futuras".

Entonces, ¿por qué los evangelistas citan las primera palabras, y no las últimas que son las esperanzadoras? Porque para la mentalidad judía citar el comienzo de un Salmo equivale a citar el Salmo entero. Por lo tanto, al poner las palabras iniciales, los escritores dan a entender que Jesús recitó todo el Salmo.

Así lo entendió también el autor de la Carta a los Hebreos (2,11-13) cuando, al hablar de la pasión del Señor, dice que Jesús en la cruz rezó el final del Salmo 22, y no las palabras dolorosas del comienzo, que son las que traen los evangelistas.

Cuando Dios ayudaba a los buenos

Pero esta respuesta, a su vez, nos lleva a plantearnos otra cuestión. ¿Por qué los evangelistas conservaron el recuerdo tan insignificante del rezo de un Salmo por Jesús, cuando detalles que los historiadores juzgan más trascendentes (como las precisiones cronológicas de la pasión, la forma que tenía la cruz, el modo en que fue crucificado) ni siquiera son mencionados?

Para contestar esto es necesario tener en cuenta algo que hoy ya no llama la atención, y es el escándalo que significó la muerte de Jesús para los judíos de aquel tiempo. Por varias razones.

En primer lugar, porque en la época de Jesús existía la convicción de que, cuando una persona era fiel a Dios y cumplía sus mandamientos, Dios siempre acudía a salvarlo y no permitía que le pasara nada malo.

Todo el libro de Daniel, por ejemplo, expone esta idea en forma de cuentos: a cuatro jóvenes judíos que se niegan a comer alimentos prohibidos, Dios los engorda milagrosamente (1,3-15); a Azarías y a sus compañeros, arrojados en un horno encendido por no adorar la estatua del rey Nabucodonosor, el fuego ni los toca (3,46-50); a Daniel, abandonado en el foso de los leones por ser fiel a Dios, lo hace salir vivo (6,2-25); a Susana, la libra de las falsas acusaciones contra su honor (13).

El mismo libro de la Sabiduría lo afirma: "Si el justo es hijo de Dios, él lo ayudará, y lo librará de las manos de sus enemigos" (2,18). Cualquier judío, pues, compartía la idea de que Dios salva siempre al hombre inocente. ¿Por qué entonces no lo salvó a Jesús? La conclusión que se imponía era: Jesús debió ser un pecador.

La muerte de un delincuente

En segundo lugar, porque a Jesús lo mataron los representantes de Dios, es decir, los sacerdotes. Y lo hicieron en nombre de la Ley de Dios. "Nosotros tenemos una Ley, y según esa Ley debe morir", exclamaron sus acusadores ante Pilato (Jn 19,7). Jesús, pues, no murió como un profeta sino como un delincuente.

Finalmente, porque la clase de muerte que sufrió (colgado de un madero), lo convertía automáticamente, según la Biblia, en un maldito de Dios. En efecto, un versículo del libro del Deuteronomio afirmaba: "El que cuelga de un madero es un maldito de Dios" (Deut 21,23). Y de todas las muertes, justamente ésa fue la que sufrió Jesús.

Para el pueblo judío, entonces, Jesús murió: a)sin el auxilio divino; b)en nombre de las autoridades religiosas; y c)maldito por Dios. ¿Era posible una muerte más vergonzosa? ¿Cómo podrían los cristianos convencer a la gente de que él era el Mesías, el Hijo de Dios que venía a salvar a su pueblo? Ningún judío piadoso lo habría jamás aceptado.

Que lo digan los Salmos

Frente al escándalo, difícil de disimular, de la ignominiosa muerte de Jesús, los primeros cristianos, iluminados por Dios, encontraron una solución: demostrar que todo lo que le había sucedido a Jesús, en su pasión y muerte, estaba ya anunciado en el Antiguo Testamento. Que todos los sufrimientos del Maestro estaban previstos por Dios, y ocurrieron según su voluntad. Y que incluso hasta los menores detalles de su escandaloso final habían sucedido "para que se cumplieran las Escrituras".

Como el libro más leído, conocido y meditado por la piedad judía era el de los Salmos, allí fueron los cristianos a buscar elementos para probar las circunstancias proféticas de la muerte del Señor.

Por eso en la pasión de Jesús se acumulan, más que en ningún otro momento de su vida, las referencias a los Salmos (más de veinte), como si allí hubieran querido concentrar todo el cumplimiento de las predicciones bíblicas.

Y por eso mismo, los relatos de la pasión y muerte de Jesús no ofrecen precisiones históricas, ni dan una crónica exhaustiva de los hechos. Pasan por alto muchas escenas importantes, dejan otras en penumbra, y más bien se detienen en aquéllas que pueden encontrar su apoyo en las Sagradas Escrituras, aun cuando sean de poco interés.

Cada comunidad cristiana, y cada evangelista más tarde, hizo lo que pudo en este esfuerzo de explicar, mediante las profecías de los Salmos, el "escándalo de la cruz". ¿Y cuáles son los Salmos que encontraron?

El arresto y la agonía

Ya en el comienzo de la pasión, mientras Mc y Lc dicen que eran los sumos sacerdotes y escribas quienes conspiraban contra Jesús y que andaban buscando cómo apresarlo, Mt, más cuidadoso, dice que fueron "los jefes", y menciona "una reunión" que hicieron para atraparlo (26,3-4). Porque así se cumplía la profecía del Sal 2,2: "los jefes se reunieron contra Dios y su Mesías".

También a la traición de Judas la explica san Juan (13,18) con la profecía de un Salmo. Afirma que eso sucedió "porque tenía que cumplirse la Escritura (del Sal 41,10) que dice: el que comparte mi pan se volvió contra mí". Y más adelante lo reitera: "Ninguno de ellos se ha perdido excepto el que debía perderse, para que se cumpla la Escritura" (17,12), refiriéndose al mismo Salmo.

El hecho incomprensible de que Jesús, a pesar de haber pasado haciendo el bien y ayudando a los más pobres, fuera odiado y rechazado por las autoridades judías, estaba igualmente anunciado en los Salmos. Jesús lo dice: "Nos odian a mí y a mi Padre, pero así se cumple lo que está escrito en su Ley (el Sal 69,5): me han odiado sin motivo"(Jn 15,24-25).

Y al contar la terrible agonía en el huerto de Getsemaní, los evangelistas relatan que Jesús les hizo a sus discípulos esta confidencia: "Mi alma está triste hasta la muerte" (Mt 26,38; Mc 14,34), para que se cumplieran las palabras del Sal 42,6 (en su versión griega).

Hiel en vez de mirra

Al ser arrestado Jesús y llevado ante las autoridades, refieren los Evangelios que el Sumo Sacerdote le preguntó: "¿Eres

71

tú el Mesías, el Hijo de Dios Bendito?". Y él le contestó: "Sí, yo soy. Y verán cómo el Hijo del Hombre se sienta a la derecha del Todopoderoso y viene entre las nubes del cielo" (Mc 14,62). Así se cumplía lo dicho por el Sal 110,1, que para los evangelistas profetizaba la glorificación de Jesús por Dios.

También la intervención de testigos falsos contra Jesús, durante el juicio ante el Sanedrín (Mt 26,59-61; Mc 14,55-59), estaba prevista en los Sal 27,12 y 35,11: "Se levantan contra mí testigos falsos, y me preguntan de lo que nada sé".

Luego de condenar a muerte al Señor, lo llevaron al monte Calvario. Entonces Mc dice que le ofrecieron vino con mirra antes de crucificarlo (15,23). Era una bebida que solía invitarse a los condenados a muerte como narcótico para atontarlos y atenuar así sus sufrimientos. Y añade: "pero él no lo tomó". Mateo en cambio no dice que le dieron "vino con mirra" sino "vino con hiel", y contrariamente a Marcos dice que "sí lo probó" (27,34). Hizo estos cambios para demostrar que se estaba cumpliendo la profecía del Sal 69,22 (en su versión griega), que decía: "Me han dado hiel como alimento".

Los regalos y el sorteo

Cuando desvistieron a Jesús para crucificarlo, llama la atención que los cuatro Evangelios anoten el detalle insignificante de que los soldados se repartieron sus ropas y sortearon la túnica que sobraba para ver a quién le correspondería. Y Juan explica por qué era importante este detalle. Porque así se cumplía "la Escritura (del Sal 22,9) que dice: se han repartido mis vestidos, y han echado a suerte mi túnica" (19,24). Por lo tanto, hasta el hecho trivial del destino de sus ropas, estaba previsto en el plan de Dios.

Al contar las burlas que le hacían a Jesús los que pasaban por el lugar, Mt dice que "movían la cabeza y decían: ha confiado en Dios, que él lo libre ahora, ya que lo ama'" (27,39).

Para que se cumpliera lo anunciado en el Sal 22,8-9, que dice: "mueven la cabeza y dicen: ha confiado en el Señor; que él lo libre... ya que lo ama". Y Lc añade que "hacían muecas de burlas" frente a Jesús (23,35), para recoger, la profecía de ese mismo Sal: "todos me hacen muecas de burlas" (22,8).

Las últimas palabras

En medio de terribles tormentos, y ya próximo a su muerte, Jesús exclama: "Tengo sed". Dice san Juan que eso ocurrió "para que se cumpliera la Escritura" (del Sal 22,16) que predecía: "Mi paladar está seco como una teja, y mi lengua se pega al paladar". Entonces los soldados corrieron y le ofrecieron vinagre, y Jesús lo bebió (Jn 19,29). Con esto se cumplía una nueva profecía, la del Sal 69,22: "Cuando tenía sed, me dieron vinagre".

Llega, entonces, el momento de las últimas palabras de Jesús. Con gran agudeza, Mt y Mc sostienen que fueron: "Dios mío, Dios mío, ¿por qué me has abandonado?" (Mt 27,46; Mc 15,34). De este modo, como ya dijimos, mostraban a Jesús como el hombre inocente y bueno que sufría injustamente, y que por lo mismo sería luego rehabilitado por Dios.

Lucas, que compuso su Evangelio para lectores no judíos, y por lo tanto poco conocedores de Salmos, temió escandalizarlos con estas palabras, y prefirió poner en boca de Jesús otra expresión, también de un Salmo (31,6), pero que era menos ambiguo: "Padre, en tus manos encomiendo mi espíritu" (Lc 23,46). Estas fueron, para Lc, las últimas palabras Jesús pronunció.

Los huesos rotos

Lo que sucedió al morir Jesús estaba también previsto por los Salmos, según los evangelistas.

Lucas, por ejemplo, anota que "sus familiares se mantenían a distancia" presenciando la desgarradora escena (23,49), porque el Sal 38,12 había profetizado: "mis familiares se mantienen a distancia". Y Juan (19,36) relata que los soldados rompieron las piernas de los dos ladrones crucificados junto a Jesús, pero que a él no le quebraron las piernas sino que lo atravesaron con una lanza en el costado, para que se cumpliera la profecía del Sal 34,21: "Dios cuida de todos sus huesos, ni uno solo será quebrado".

No era un castigo de Dios

Los primeros cristianos buscaron en el Antiguo Testamento la razón por la cual a Jesús le tocó sufrir una muerte tan cruel como injusta. Y descubrieron que en los Salmos, especialmente los de lamentación y confianza, estaban anticipados todos los sucesos de la pasión.

Allí se hallaba la explicación teológica de esos acontecimientos. Su muerte, por lo tanto, no había sido un "castigo de Dios". Jesús no era sino el justo que había venido a cumplir las profecías de ese inocente que aparecía en los Salmos sufriendo injustamente, cargando el peso del odio de sus enemigos, pero con toda su confianza puesta en Dios.

Los relatos de la pasión de Cristo no son narraciones biográficas, sino teológicas. Es decir, los evangelistas no quisieron ofrecer un relato históricamente exacto, ni detallar con precisión cómo sucedieron aquellos hechos, sino únicamente explicar cuál era el sentido de la muerte de Jesús. De ahí las grandes lagunas que existen en estas narraciones, y los desacuerdos entre los cuatro relatos.

La vida: un Salmo en dos partes

Los relatos de la pasión fueron compuestos para lectores creyentes. Y al presentarlos como el cumplimiento de citas y pasajes del Antiguo Testamento, aunque fueran de escaso interés (como el reparto de las vestiduras, o el vinagre que le ofrecieron a beber), sus autores pretendieron únicamente enseñar que Jesús era, en verdad, el enviado de Dios. Y que al estar previsto por la palabra de Dios todo lo vivido en su pasión, podía ser aceptado sin recelo como Salvador de la humanidad.

El día que Jesús murió, Dios guardó silencio. Un silencio atroz, que parecía dar la razón a los verdugos que lo condenaron. Sin embargo los primeros cristianos descubrieron, años más tarde, que Dios no se había callado. Que desde hacía siglos venía gritando, desde los Salmos, lo que a su Hijo le tocaría padecer, por mantenerse fiel al Amor que predicó. Pero que, a pesar de todo, lo iba a acompañar, sostener y cuidar hasta el final.

Dios ha prometido cuidar siempre de los hombres, especialmente de cuantos sufren o atraviesan dificultades. Y lo cumplirá. Cuando nos veamos desbordados por los problemas o las angustias de la vida, nunca pensemos que Dios guarda silencio. Sólo es la primera parte del Salmo. Falta aún la segunda. Y Dios es fiel hasta el final.

Para reflexionar

1) ¿Por qué la muerte de Jesús fue un escándalo para sus contemporáneos?

2) ¿Qué solución hallaron los primeros cristianos a este problema?

3) ¿Qué "profecías" sobre la muerte de Jesús encontraron en los salmos?

4) ¿Cómo nos habla Dios, en medio de nuestras «pasiones»?

Para continuar la lectura

RAYMOND E. BROWN, *La muerte del Mesías* (Vol II), Editorial Verbo Divino, Estella (Navarra) 2006.

¿JESUCRISTO ERA SACERDOTE?

Sacerdote, ¿de dónde?

Los sacerdotes de la Iglesia Católica sostienen que son sacerdotes al igual que Jesucristo. Pero ¿de dónde sacan la idea de que Jesucristo era sacerdote? En los Evangelios jamás se dice semejante cosa. Los únicos sacerdotes que mencionan son los del Templo de Jerusalén (Mc 1,44). Como Zacarías, padre de Juan el Bautista (Lc 1,5). Pero nunca afirman que Jesús oficiara ceremonias religiosas en el Templo.

Tampoco el libro de los Hechos de los Apóstoles habla de ningún sacerdote, fuera de los sacerdotes judíos (4,1) o paganos (14,13). En las cartas de san Pablo ni siquiera aparece la palabra sacerdote, como si la esquivara a propósito. Y las Cartas Católicas y el Apocalipsis jamás llaman sacerdote a Jesús en ningún sentido. ¿Por qué entonces nosotros le damos este título a Jesucristo?

Hay un solo libro en todo el Nuevo Testamento que afirma que Jesucristo era sacerdote: es la Carta a los Hebreos.

Liturgias eran la de antes

¿Por qué aparece aquí esta inusual afirmación? Porque su autor tenía que enfrentar dos graves problemas, que se daban en aquella época en la comunidad a la que se dirigía.

En primer lugar, sus destinatarios estaban desilusionados por la austeridad y la sencillez de la liturgia cristiana. Para entender esto, tengamos presente que los primeros cristianos eran todos judíos convertidos. Y los judíos estaban acostumbrados a las espléndidas y vistosas celebraciones del Templo de Jerusalén. Basta pensar en las imponentes reuniones que celebraban con decenas de sacerdotes y levitas, que oficiaban acompañados de cantos, música estruendosa y ornamentos; y en los ritos impactantes que tenían, como los animales desangrados, las carnes quemadas, las nubes de incienso y las múltiples purificaciones con agua. Sobre todo resultaban majestuosas las peregrinaciones nacionales que se hacían para las grandes fiestas, a las que asistían multitudes de campesinos con su espontaneidad, su entusiasmo y sus cantos.

Un culto aburrido

El cristianismo, en cambio, había eliminado todo esto. Ante todo, no obligaba a la gente a asistir a ningún templo. Jesús mismo le había dicho a una mujer samaritana que a Dios no se lo encuentra en el templo sino en el corazón del hombre (Jn 4,21-23).

Tampoco insistía en que las ceremonias de sacrificios de animales fueran agradables a Dios. Al contrario, ponía el acento en vivir como hermanos, ayudándose mutuamente y sirviendo a los demás. El culto y el sacrificio cristiano consistían casi exclusivamente en la fe y el amor fraterno, la entrega a Dios y el amor al prójimo.

Incluso la misma celebración eucarística, que se realizaba cada domingo en casas de familia, no se distinguía demasiado de las cenas familiares de la vida ordinaria.

Por lo tanto, la sobriedad de la fe cristiana debió de causar una enorme decepción en el ánimo de los primeros creyentes y mucha nostalgia del culto antiguo. Frente al espíritu religioso judío, amante del fausto, la pompa y las ceremonias, el cristianismo aparecía como una fe sin culto, empobrecida y desconcertante.

Los personajes de último momento

El segundo problema que debía enfrentar el autor de la Carta a los Hebreos era el de los rumores que circulaban acerca de que Jesús no podía ser el verdadero Mesías porque no era sacerdote. En efecto, los judíos de la época de Jesús esperaban la aparición de tres grandes personajes prometidos por Dios para el final de los tiempos: un Sacerdote, un Profeta, y un Rey.

La aparición de un futuro Profeta lo anunciaba el libro del Deuteronomio, cuando Dios le dice a Moisés: "Suscitaré un Profeta como tú de entre tus hermanos" (18,18). En realidad estas palabras prometían que nunca faltarían profetas en el pueblo de Israel, pero poco a poco las esperanzas populares se habían ilusionado con la aparición de un gran profeta semejante a Moisés para el final de los tiempos.

La promesa de un futuro Rey estaba en el 2º libro de Samuel, donde Dios le dice a David: "Cuando tú mueras yo pondré un descendiente tuyo y mantendré tu trono para siempre" (7,12). Esto había hecho esperar a los judíos en la aparición de un poderoso Rey enviado por Dios a su pueblo.

Finalmente la promesa de un futuro Sacerdote para los últimos tiempos se la había hecho Dios al sacerdote Elí: "Mandaré un sacerdote fiel, que actúe según mi voluntad" (1 Samuel 2,35).

Jesús, un laico

Ahora bien, cuando apareció Jesús, comenzaron a descubrirse en él las diversas características que se esperaban de un enviado de Dios. Fue reconocido como "profeta" (Mc 9,8), "gran profeta" (Lc 7,16), e incluso "el profeta" (Jn 6,14). También fue reconocido como "rey" (Mt 21,9), el "rey que viene en nombre del Señor" (Lc 19,38), el "rey de Israel" (Jn 12,13). Pero jamás nadie durante su vida lo reconoció como sacerdote ni le descubrió vinculación alguna con los ministros del Templo. Y esto por la sencilla razón de que para ser sacerdote había que pertenecer a la tribu de Leví, y Jesús pertenecía a la tribu de Judá. Por lo tanto nunca podría haber sido aceptado como sacerdote. Para su pueblo, Jesús era un laico.

Por eso los apóstoles nunca predicaron sobre el sacerdocio de Cristo. El propio san Pedro reconoce en Jesús al profeta prometido (Hech 3,22), al Rey esperado (Hech 2,36), pero no al sacerdote anunciado.

Los primeros cristianos, pues, destinatarios de esta Carta, se sentían desconcertados. ¿A dónde habían ido a parar el sacerdocio, los ritos, los sacrificios, el culto del Antiguo Testamento, que durante siglos habían ocupado un puesto central en la espiritualidad de Israel? ¿Podían desaparecer así de un plumazo? ¿En el cristianismo no tenían ya lugar alguno, ni sentido?

Se requería una mente poderosa, que dominara las antiguas instituciones y conociera profundamente la persona de Cristo, para poder resolver semejante problema teológico que perturbaba a los judíos que querían pasarse al cristianismo. Y fue así como alrededor del año 80 apareció en la ciudad de Roma un personaje, de vasta cultura y notable manejo de la lengua griega, que luego de analizar cuidadosamente este problema descubrió la solución. Este autor, que para nosotros permanece anónimo, inspirado por el Espíritu Santo compuso una obra llamada actualmente la Carta a los Hebreos, y que constituye el escrito más fino, mejor construido y más elegante de todo el Nuevo Testamento.

El juramento de Dios

El núcleo de sus enseñanzas está en los capítulos 7 al 10 de la Carta. Allí el autor empieza diciendo que Jesucristo sí era sacerdote. Pero ¿cómo podía serlo, si no pertenecía a la tribu de Leví? Ahí está la clave. El autor afirma que Jesús pertenecía a un «orden» distinto de los levitas: al "orden" de Melquisedec. Esta respuesta la descubrió leyendo un Salmo que decía: "Dios lo ha jurado y no se retractará: Tú eres sacerdote para siempre, según el orden de Melquisedec" (110,4).

Para nuestro autor, este antiguo Salmo anunciaba la futura aparición de un nuevo "orden" de sacerdotes que reemplazaría a los levitas. Pues si Dios hubiera querido que el sacerdocio de los levitas fuera definitivo, ¿qué necesidad tenía de anunciar la aparición de uno nuevo "según el orden de Melquisedec"? Por lo tanto el sacerdocio de los levitas, es decir, del Antiguo Testamento, con sus reglas, sus leyes y sus ritos, no podía seguir existiendo después de Cristo.

¿Y qué es el sacerdocio "según el orden de Melquisedec?". Para explicarlo el autor recurre al libro del Génesis (c.14). Allí se cuenta que Melquisedec era un sacerdote de Jerusalén, y que cierto día al pasar Abraham cerca de la ciudad aquél le salió al encuentro y lo bendijo.

Un extraño sacerdote

Este sacerdote Melquisedec, continúa razonando el autor, aparece como un personaje extraño. Ante todo, no se dice quién era su padre, ni su madre, ni sus antepasados. Normalmente la Biblia menciona la genealogía de todos los ministros, para demostrar que pertenecían al puro linaje de Leví. Pero el hecho de que no constaran los orígenes familiares de Melquisedec, indicaba que su sacerdocio no era levita.

Tampoco se cuenta el nacimiento ni la muerte de Melquisedec. Y esto, dice el autor, no puede significar más que una cosa: que Melquisedec no ha muerto, que permanece para siempre, que es eterno como sacerdote.

¿Y así, se pregunta el autor, quién es el único que puede ser sacerdote como Melquisedec? ¿Quién es el único que reúne las dos características suyas (ausencia de genealogía humana y ausencia de límites temporales)? Y responde: Jesucristo, cuando resucitó. Porque al levantarse de la tumba es como si hubiera nacido de nuevo, pero sin intervención de padres humanos (es decir, sin antepasados); y desde entonces ya no puede morir más (es decir, permanece para siempre).

Por lo tanto Jesucristo, si bien no fue sacerdote durante su vida terrena, después de resucitar se convirtió en sacerdote de un nuevo "orden", un nuevo estilo, tal como lo había anunciado la profecía: "Tú eres sacerdote para siempre, según el orden de Melquisedec".

Nada que ver con lo antiguo

El autor de la Carta a los Hebreos, con su genial argumentación, pasa luego a demostrar la superioridad del sacerdocio de Cristo sobre el sacerdocio de los levitas mediante una serie de comparaciones.

Los sacerdotes levitas eran pasajeros, transitorios, porque la muerte les impedía perdurar; por eso forzosamente tenían que ser muchos; (de hecho en tiempos de Jesús había más de 8.000 sacerdotes que oficiaban en el Templo de Jerusalén por turnos). En cambio Jesucristo, como sacerdote, no muere nunca más. Permanece para siempre. Es eterno. Por eso su sacerdocio es único.

Los sacerdotes levitas antes de ofrecer sacrificios por los pecados de la gente tenían que ofrecer sacrificios por sus propios pecados, porque eran hombres con defectos y errores. En cambio Jesucristo no necesita ofrecer sacrificios a Dios por sus propios pecados, porque él es absolutamente puro, santo, sin defecto.

Los sacerdotes levitas le ofrecían a Dios sacrificios de animales todos los días. Tal reiteración mostraba que aquellos sacrificios eran poco eficaces y no servían para perdonar pecados. En cambio Jesucristo, con un solo sacrificio, el de su persona entregada por amor, obtuvo el perdón de todos los pecados, y ya no hacen falta más sacrificios.

Los sacerdotes levitas oficiaban el culto en un Templo terreno, construido por manos humanas. En cambio Jesucristo para ofrecer su sacrificio entró en el Templo del cielo, es decir, en el Santuario eterno, donde habita Dios. Y mientras los levitas entraban en el Templo muchas veces, Jesús entró una sola vez y para siempre.

Finalmente los sacerdotes antiguos empleaban la sangre de toros, ovejas y cabras, es decir, sangre ajena, para realizar sus ofrendas. En cambio Jesucristo le ofreció a Dios su propia sangre, pura y sin mancha, para purificar a toda la humanidad y devolverle la santidad perdida.

La triple barrera

Con su estilo brillante y admirable, el autor de la Carta a los Hebreos demuestra que Jesucristo no sólo se convirtió en sacerdote al resucitar, sino que dio origen a un sacerdocio superior y más abarcante que el de los judíos. ¿Por qué? Porque el sacerdocio judío provocaba una triple división con el resto de la gente.

a) El sacerdote judío pertenecía a una casta social selecta, exclusiva: la tribu de Leví. Sólo ellos podían ser sacerdotes.

b) El sacerdote judío recibía una consagración especial de Dios, que el resto de la gente no podía recibir; esto se indicaba mediante rituales minuciosos, vestidos especiales y adornos de piedras preciosas.

c) El sacerdote judío estaba más de parte de Dios que de los hombres. Se ocupaba más del culto y de los derechos de Dios, que de la gente. (Por eso, cuando alguien ofendía a Dios no se dudaba en invocar tremendos castigos e incluso la muerte sobre los pecadores).

Jesucristo, en cambio, con su nuevo sacerdocio, derribó esta triple división.

a) Al no nacer de la tribu de Leví, abolió la exclusividad y abrió el sacerdocio a todos los hombres. Todos los bautizados, pues, participan del sacerdocio común de Cristo.

b) Al no ser "ordenado" sacerdote con un rito especial, sino que llegó a serlo por cumplir fielmente la voluntad de Dios, mostró que todos los cristianos, cuando practican el amor al prójimo y obedecen al Padre que está en el Cielo, son sacerdotes igual que él.

c) Al ponerse de parte de la gente, sentarse a comer con ladrones y prostitutas, juntarse con pecadores, y no condenar nunca a los que vivían equivocadamente, mostró que este sacerdocio no servía para "salvar" los derechos de Dios, sino para salvar la vida de los hombres.

Hombres por animales

El sacerdocio de Cristo, por lo tanto, es diferente al de los levitas del Antiguo Testamento. Este tenía por misión sacrificar animales para Dios, ofrecerle su sangre, que por ser el símbolo de la "vida" era una manera de entregar a Dios la vida, de reconocerlo como dueño.

Pero todo esto no era más que un símbolo imperfecto, una sombra, de otro sacerdocio que Dios estaba preparando para más adelante: el sacerdocio de Cristo. Actualmente, todos los cristianos tienen este nuevo sacerdocio, que se llama el "sacerdocio común de los fieles". Y ya no consiste en ofrecerle a Dios la vida de los animales, ni la sangre, sino la vida de uno mismo. Cada uno es sacerdote de su propia vida, de su propia existencia, y libremente se la debe ofrecer a Dios, viviendo de acuerdo con su voluntad. Esta es la forma de practicar el nuevo sacerdocio, para que la humanidad entera se llene un día de

Dios, de su justicia y de su paz. Cosa que no se podía lograr con la sangre de animales.

Todo cristiano, pues, es sacerdote de su propia vida, y es la única "víctima" que debe sacrificar a Dios, mediante un sacrificio de amor a los demás y de fidelidad a él. Fue la genial intuición del autor de la Carta a los Hebreos.

Sacerdocio para todos

Aunque no lo sepan, todos los cristianos por el hecho de ser bautizados son sacerdotes. Después, y para organizar mejor las tareas en la Iglesia, unos se harán ministros (los presbíteros) y otros trabajarán más directamente en el mundo (los laicos), pero todos son sacerdotes de Jesucristo, participan de su sacerdocio.

La misión de este nuevo sacerdocio ya no es encerrarse en ningún Templo, en determinados días, y practicar ciertos ritos, sino la de transformar la tierra, la sociedad, la historia de todos los días, con su alegría y sus dolores, su fiesta y sus tragedias, sus tareas y desvelos, y encaminarla según Dios. Inyectar en ella una nueva vida, hecha de fraternidad, de solidaridad, de amor. En una palabra: consagrarle toda la humanidad para Dios.

Si todos los cristianos practicaran su sacerdocio, el que descubrió el autor de la Carta a los Hebreos, viviendo su vida con fe y ejerciéndola en el servicio a los demás, tal como practicó Jesús su sacerdocio, estarían practicando el único culto agradable a Dios, y capaz de construir un mundo mejor sobre la faz de la tierra.

Para reflexionar

1) ¿Cuál es el único libro del Nuevo Testamento que dice que Jesucrsito era sacerdote?

2) ¿Cuáles eran los problemas que atravesaban los destinatarios de la exhortación a los Hebreos?

3) ¿Qué objeciones se oponían al posible sacerdocio de Cristo?

4) ¿Cómo responde el autor de este escrito?

5) ¿Qué diferencia hay entre el sacerdocio levítico y el de Melquisedec?

6) ¿Cómo es el sacerdocio de los fieles cristianos?

Para continuar la lectura

A. VANHOYE, *Sacerdotes antiguos, sacerdote nuevo, según el Nuevo Testamento*, Editorial Sígueme, Salamanca 1995.

¿COMO FUE LA CONVERSION DE SAN PABLO?

La caída sin caballo

La conversión más famosa de la historia es, sin duda, la de san Pablo. Cómo fueron los detalles de aquél hecho lo sabemos gracias a san Lucas, que lo inmortalizó en un conmovedor relato conservado en Los Hechos de los Apóstoles.

Cuenta este libro que Pablo era un joven y fogoso judío, llamado entonces Saúl, y que observaba con preocupación cómo se expandía en Jerusalén el cristianismo, que él consideraba una secta peligrosa. Resolvió, por lo tanto, combatirlo y no descansar hasta aniquilarlo por completo.

Cierto día decidió viajar a Damasco con una autorización especial para encarcelar a todos los cristianos que encontrara en esa ciudad. Damasco distaba unos 230 kilómetros de Jerusalén y era una de las ciudades más antiguas del mundo, en la que habitaba una importante comunidad cristiana. El viaje debió de haberle llevado a Pablo y a sus compañeros alrededor de una semana.

De pronto, y casi ya en las puertas de la ciudad, una poderosa luz lo envolvió y lo tiró por tierra. (Conviene aquí recordar que los viajes en esa época se hacían a pie, por lo que la famosa imagen de Pablo cayendo "del caballo" que tanto hemos visto en cuadros y pinturas, no corresponde a la realidad). Entonces oyó una voz que le decía: "Saúl, Saúl, ¿por qué me persigues?" Pablo respondió: "¿Quién eres, Señor?" La voz le contestó: "Yo soy Jesús, a quien tú persigues. Levántate y entra en la ciudad. Allí se te indicará lo que tienes que hacer".

Luz para el ciego

Pablo se levantó, y comprobó que no veía nada. Entonces con la ayuda de sus compañeros pudo ingresar en la ciudad. Así, aquél que había querido entrar en Damasco hecho una furia, arrasando y acabando con cuantos cristianos encontrara, debió entrar llevado de la mano, ciego e impotente como un niño.

En Damasco se alojó en la casa de un tal Judas, y permaneció allí tres días ciego, sin comer ni beber, hasta que se presentó en la casa un hombre llamado Ananías y le dijo: "Saúl, hermano, el Señor Jesús que se te apareció en el camino por donde venías, me ha enviado para que recuperes la vista y quedes lleno del Espíritu Santo". Entonces le impuso las manos, y al instante cayeron de sus ojos una especie de escamas y recuperó la vista.

A partir de ese momento Pablo fue otra persona. Un cambio impresionante sucedió en él. Ananías lo bautizó, le explicó quién era Jesús, lo introdujo en la comunidad local, lo instruyó en la doctrina cristiana y lo mandó a predicar el evangelio.

De este modo Pablo conoció el cristianismo, y llegó a ser miembro de la Iglesia a la que en un principio combatía.

Sin contar las intimidades

Ahora bien, resulta curioso que este relato tan detallado del libro de los Hechos no coincida con la versión que el propio Pablo da en sus cartas.

En primer lugar, en ninguna escrito suyo Pablo cuenta a nadie lo que experimentó aquél día camino a Damasco. Ni siquiera a los Gálatas, los cuales habían puesto en duda su apostolado, y para los que hubiera sido un excelente argumento contarles ese suceso extraordinario. Sólo menciona su conversión de pasada (Gál 1,15).

Y cuando en otras partes cuenta sus visiones y revelaciones lo hace en tercera persona ("Sé de un hombre..."; 2 Cor 12,2), como si no le gustara hablar de ese tema ni a sus más íntimos. En cambio en los Hechos Pablo aparece divulgándolo varias veces, con toda libertad, y una vez nada menos que ante una verdadera multitud de gente desconocida (Hech 22). ¿Es éste el mismo Pablo de las cartas?

En segundo lugar, los Hechos no dicen que Pablo haya visto a Jesús. Cuentan que sólo "vio una luz venida del cielo" y "oyó una voz" que le hablaba (9,3-4). En cambio Pablo en sus cartas asegura, aunque sin entrar en detalles, haber visto ese día personalmente a Jesús. A los corintios les advierte: "¿Acaso no he visto yo a Jesús, Señor nuestro?" (1 Cor 9,1). Y también: "Se le apareció a Cefas y a los Doce... y finalmente se me apareció también a mí" (1 Cor 15,8).

¿Conversión o vocación?

En tercer lugar, Pablo asegura haber recibido tanto su vocación como el evangelio que predicaba, directamente de Dios, sin intermediario alguno. En sus cartas afirma: "Pablo, apóstol, no de parte de los hombres ni por medio de hombre alguno, sino por Jesucristo" (Gál 1,1). Y dice: "Les cuento, hermanos, que el evangelio que les anuncio no es cosa de hombres; pues yo no lo recibí ni aprendí de hombre alguno sino por revelación de Jesucristo" (1,11). En cambio en Hechos se dice que fue Ananías quien explicó a Pablo el significado de la luz que lo envolvió, y quien le enseñó la doctrina cristiana (9,6-19).

Hay otras diferencias entre la versión de Los Hechos de los Apóstoles y la de Pablo. Por ejemplo, Hechos presenta la experiencia de Damasco como una "conversión"; en cambio Pablo nunca dice que se haya convertido, sino que habla de su "vocación" (Gál 1,15). Hechos dice que su conversión estuvo acompañada de fenómenos externos (una luz celestial, una voz misteriosa, la caída al suelo, la ceguera); en cambio Pablo nunca menciona tales fenómenos exteriores fantásticos, sino más bien sostiene que la revelación que él tuvo fue una experiencia interior (Gál 1,16).

¿Cómo se explican estas diferencias? ¿Por qué Lucas parece no ajustarse a lo que Pablo señala en sus cartas? Para responder a esto debemos tener en cuenta la intención de los Hechos de los Apóstoles.

Como un militar griego

Lucas, al momento de componer su libro, conocía una tradición que contaba que Pablo, camino a Damasco, había vivido cierta experiencia especial, y que un tal Ananías había desempeñado un papel importante en ella. Y con estos datos compuso un relato siguiendo el esquema de las llamadas "leyendas de conversión".

¿Qué eran las "leyendas de conversión"? Eran narraciones estereotipadas en las que se mostraba cómo a algún personaje, enemigo de Dios, se le manifestaba éste con señales extraordinarias y terminaba convirtiéndolo.

Un ejemplo de ellas es la conversión de Heliodoro, relatada en el 2° libro de los Macabeos. Cuenta esta leyenda que Heliodoro, ministro del rey Seleuco IV de Siria, en su persecución contra los judíos intentó saquear el tesoro del Templo de Jerusalén. Cuando estaba a punto de lograrlo, Dios se le apareció en una impresionante manifestación. Heliodoro cayó al suelo envuelto en una ceguera total, mientras sus compañeros presentían lo sucedido sin poder reaccionar. Al final Heliodoro, que había entrado al Templo con tanta soberbia, debió ser sacado en una camilla mudo e impedido. Luego de varios días, y gracias a la intervención de un judío, el ministro recuperó sus fuerzas, se convirtió y recibió la misión de anunciar en todas partes la grandeza de Dios (2 Mac 3).

Tres veces lo mismo

Existen muchas otras leyendas judías que cuentan de idéntico modo la conversión de algún personaje enemigo de Dios. Por lo tanto, no debemos tomar los detalles de la conversión de san Pablo como históricos, sino más bien como parte de un género literario convencional.

¿Y por qué a Lucas le importaba tanto de la conversión de san Pablo, al punto tal de no sólo ampliarla en detalles sino de repetirla ¡nada menos que tres veces! (9,3-19; 22,6-16 y 26,12-18)? ¿Por qué contar tres veces lo mismo, en un libro como los Hechos que se caracteriza por la sobriedad y economía de detalles narrativos, y cuando otros episodios más importantes, como el de Pentecostés, aparecen una sola vez?

Porque Lucas, a lo largo de todo su libro, intenta mostrar cómo se cumple una profecía de Jesús: que la Palabra de Dios se extenderá por todo el mundo de aquel entonces. En efecto, al principio, Jesús se les aparece a los apóstoles y les dice: "El Espíritu Santo vendrá sobre ustedes, y serán mis testigos en Jerusalén, en toda Judea y Samaria, hasta los confines de la tierra" (1,8). ¿Y cuál era en aquel entonces "los confines de la tierra"? Era precisamente Roma, la capital del Imperio. Por lo tanto su objetivo es mostrar cómo la Palabra de Dios llega justamente hasta Roma.

La profecía que cumplir

Pero Lucas no sabía de ninguno de los doce apóstoles que haya llegado hasta Roma. En su libro de los Hechos, Pedro, la cabeza del grupo, nunca sale más allá de Judea y Samaria. Juan, compañero de Pedro, tampoco viaja más que hasta Samaria. Santiago el Mayor es asesinado temprano. Santiago el Menor no se mueve de Jerusalén. Matías, elegido en lugar de Judas, desaparece inmediatamente después de su elección. De los demás apóstoles no hay ni noticias. ¿Cómo mostrar que la profecía de Cristo se cumple y que la Iglesia llega "hasta los confines de la tierra"?

La solución fue hacer recaer sobre Pablo el cumplimiento de esta misión. Pero el problema estaba en que Pablo no era un verdadero apóstol. Porque para Lucas "apóstol" era el que había conocido personalmente a Jesús, y había recibido de él la misión de anunciar el evangelio (Hech 1,21-26), cosa que no había sucedido con Pablo.

Entonces para explicar por qué Pablo es el que cumple la misión de llegar a Roma, encargada en realidad a los apóstoles, Lucas lo muestra recibiendo del propio Jesús este encargo en el camino de Damasco. Y lo repite tres veces a lo largo del libro, mientras va camino a Roma, como para que no queden dudas.

El arte expositor de Lucas

Pero Lucas no cuenta tres veces lo mismo, sino que con gran habilidad narrativa presenta los relatos de manera diferente, con pequeños cambios graduales, que sirven para exaltar de manera progresiva la figura de Pablo. Veámoslos.

Sobre la luminosidad que envolvió al apóstol, el primer relato habla de "una luz del cielo" (9,3). El segundo, de "una gran luz" (22,6). Y el tercero, de "una luz más luminosa que el sol" (26,13).

El primer relato no dice a qué hora fue aquella luz. Pero el segundo aclara que fue "cerca del mediodía", lo cual resalta el esplendor luminoso. Y el tercero ya dice "en pleno mediodía", mostrando cómo el brillo de la luz superaba al sol cuando éste brilla con mayor fuerza.

En el primero y en el segundo relato dice que la luz envolvió sólo a Pablo (9,3 y 22,6). En el tercero dice que la luz envolvió también a "todos sus compañeros" (26,13).

¿De pie o en el suelo?

También las persecuciones que realizaba Pablo antes de convertirse aparecen descritas con esta técnica de graduación. El primero dice que Pablo a los cristianos los "conducía a la cárcel" (8,3). El segundo agrega que los "perseguía a muerte" (22,4). Y el tercero, que los metía en la cárcel, los torturaba para que renunciaran a su fe cristiana, los perseguía hasta en ciudades extranjeras, y cuando eran condenados a muerte él contribuía con su voto (26,10-11).

Lo mismo ocurre con la misión encomendada a Pablo. El primer relato sólo anticipa que Pablo llevará "el nombre de Cristo ante los gentiles, los reyes y los judíos" (9,15). En el segundo ya aparece enviado "ante todos los hombres" (22,15). Y en el tercero Pablo no sólo es enviado sino que se especifica los detalles de su misión (26,16-18).

Con respecto a los fenómenos que aparecieron, el primer relato dice que los compañeros de Pablo oyeron la voz pero no vieron la luz (9,7). El segundo dice que vieron la luz pero no oyeron la voz (22,9). Y el tercero, que ni vieron ni oyeron nada. Es decir, cada vez se va centrando más en Pablo el mensaje divino.

Sobre el efecto de la conmoción, la primera y la segunda vez dice que sólo Pablo cayó al suelo, mientras sus compañeros quedaron de pie (9,7; 22,7). Pero la tercera vez dice que ellos todos cayeron al suelo (26,14). Así, también los compañeros de Pablo se unen gradualmente a la adoración de la teofanía.

Y sobre la ceguera, en el primer relato Pablo queda ciego durante tres días (9,9). En el segundo, sólo permanece ciego durante el tiempo que brilla la luz divina (22,11). Y en el tercero no se menciona la ceguera, de modo que no hace falta que sea llevado por sus compañeros, ni que lo cure Ananías. Así, cada vez hay menos oscuridad en Pablo.

Un diálogo conocido

Un único elemento se mantiene siempre igual en los tres relatos: el diálogo entre Pablo y Cristo en el momento de la aparición. ¿Por qué fue conservado este diálogo con tanto cuidado? ¿Porque reflejaba quizás una conversación real entre Jesús y el apóstol?

Hoy los biblistas sostienen que se trata de un diálogo también artificial, muy común en el Antiguo Testamento, llamado "diálogo de aparición". Los escritores sagrados lo emplean cada vez que quieren contar la aparición de Dios o de un ángel a alguna persona.

El "diálogo de aparición" consta normalmente de cuatro elementos:

a) la doble mención del nombre de la persona (¡Saúl, Saúl!);

b) una breve pregunta del personaje (¿Quién eres, Señor?);

c) la autopresentación del Señor (Yo soy Jesús, a quien tú persigues); y

d) un encargo (Levántate y vete).

Este mismo "diálogo" lo tenemos, por ejemplo, cuando el ángel le encarga a Jacob regresar a su patria (Gn 31,11-13); cuando Dios autoriza a Jacob a bajar a Egipto (Gn 46,2-3); en la vocación de Moisés (Éx 3,2-10); en el sacrifico de Isaac (Gn 22,1-2); en la vocación de Samuel (1 Sm 3,4-14).

Utilizando este "diálogo" artificial, empleado oficialmente para estas ocasiones, Lucas quiso decir a sus lectores que Pablo realmente había conversado con Jesucristo camino a Damasco, y que no había sido una mera alucinación.

Pablo y nosotros

Siempre nos han resultado lejanos y misteriosos los personajes bíblicos, precisamente porque aparecen viviendo experiencias extrañas y especialísimas, que ningún cristiano normal vive hoy en día.

También Pablo, en cierto momento de su vida, experimentó un encuentro íntimo y especial con Jesús, que lo llevó a abandonar todo y a centrar su existencia únicamente en Cristo Resucitado. Fue una experiencia interior inefable, imposible de contar con palabras. Pero el autor bíblico la describe adornada con voces divinas, luces celestiales, caídas estrepitosas, ceguera, para exponer de algún modo lo que nadie es capaz de comunicar.

En realidad la experiencia paulina fue semejante a la de muchos de nosotros. Seguramente nuestra propia vocación cristiana fue también un encuentro grandioso con Jesús resucitado. Pero no oímos voces extrañas, ni vimos luces maravillosas. Y por eso no la solemos valorar. Y muchas veces languidece anémica en algún rincón de nuestra vida diaria.

Por eso hace bien reconocer que tampoco Pablo vio nada de aquello. Que no nos lleva ventaja alguna. Recordarlo, y pensar luego en la cantidad de veces que podemos experimentar a Jesús resucitado en nuestra vida, puede ser la ocasión para animarnos a hacer cosas mayores que las que hacemos ordinariamente. Como las que hizo Pablo.

Para reflexionar

1) ¿Cómo cuenta el libro de los Hechos de los Apóstoles la conversión de an Pablo?

2) ¿Qué contradicciones hay con las cartas del mismo Pablo?

3) ¿A quién hay que dar preferencia en la historicidad de los datos?

4) ¿Por qué los Hechos de los Apóstoles cuentan de esa manera la conversión del apóstol?

5) ¿Qué experiencias semejantes a la de Pablo podemos encontrar nosotros en nuestra vida de cristianos?

Para continuar la lectura

G. LOHFINK, *La conversione di san Paolo*, Paidea Editrice, Brescia 1965.

¿CUÁNDO SE CUMPLIRÁN LAS PROFECÍAS DEL APOCALIPSIS?

Esperanzas de terror

Las profecías que anuncia el Apocalipsis para el fin de los tiempos son escalofriantes. Sangrientas persecuciones contra los cristianos; una Bestia feroz con siete cabezas y diez cuernos que atacará a los creyentes; una invasión de langostas gigantescas con cola de escorpión y dientes de león; sangre y fuego que caerán sobre la tierra para matar a una tercera parte de la humanidad; un enorme Dragón que buscará devorar a los fieles de Jesucristo; y por si esto fuera poco, terremotos, oscurecimiento del sol, caída de las estrellas, pestes, guerras, hambre, muerte y violencia a granel.

Con semejante panorama es lógico que los cristianos quieran saber cuándo sucederán estas calamidades. Por eso se intentó muchas veces, a lo largo de la historia, fijar la fecha de estos sucesos. Pero todos los intentos fracasaron.

No obstante ello, cada tanto sigue apareciendo algún iluminado, o fundador de secta, o vidente que asegura que estamos viviendo ya los últimos tiempos. ¿Es cierto esto? ¿Podemos saber cuándo sucederán estos anuncios? Según el Apocalipsis, parece que sí.

El autor del libro

Ante todo, veamos quién escribió el Apocalipsis.

El autor dice que se llamaba Juan (1,9). ¿Quién es este Juan? Durante mucho tiempo se pensó que se trataba de san Juan, uno de los Doce Apóstoles, el Hijo de Zebedeo y hermano de

Santiago. Pero el autor en ningún momento dice que él sea un apóstol. En cambio se presenta como un profeta (22,9).

También se pensó que este Juan fuera el mismo que escribió el cuarto Evangelio. Pero basta con leer ambos libros y compararlos para darse cuenta de que el estilo literario, las palabras y las ideas de ambos libros son muy distintos.

Por lo tanto, el "Juan" del Apocalipsis no era ni uno de los Doce apóstoles ni el autor del cuarto Evangelio, sino alguien de la iglesia primitiva que un día, inspirado por Dios, compuso esta obra. Según él mismo nos informa, se hallaba prisionero en una isla del Mar Egeo llamada Patmos (1,9), alrededor del año 95.

¿Para cuándo todo esto?

El Apocalipsis compuesto por Juan consiste en una serie de visiones aparentemente caóticas. Pero si lo leemos con atención podemos sacar algunas cosas en claro.

Al comienzo dice: "Revelación de Jesucristo. Dios se la concedió a sus siervos para mostrarles lo que va a suceder pronto" (1,1). El primer versículo, pues, ya advierte que los sucesos iban a ocurrir "pronto".

A continuación escribe: "Dichoso el que lea y los que escuchen las palabras de esta profecía y guarden lo escrito en ella, porque el tiempo está cerca" (1,3). Es decir, reitera que lo que anuncia el libro va a suceder en un tiempo cercano al autor.

Luego cuenta todas las visiones que tuvo, y al llegar al final del libro vuelve a decir: "Estas palabras son ciertas y verdaderas. El Señor Dios envió a su ángel para mostrar a sus siervos lo que va a suceder pronto" (22,6). Y más abajo dice que un ángel le advirtió: "No selles las palabras proféticas de este libro, porque el tiempo está cerca" (22,10).

Se ve, pues, que lo que el libro profetizaba eran acontecimientos muy cercanos al tiempo del autor y al de los primeros lectores.

"Llego pronto"

Pero el Apocalipsis no sólo afirma de un modo explícito que el tiempo de su cumplimiento estaba cerca, sino que lo confirma con las imágenes y las visiones.

Así, se le dice a los cristianos que sus sufrimientos no van a durar mucho (6,11); que deben alegrarse porque el juicio de Dios ya está por llegar (14.7); que el Dragón dispone de breve tiempo para su actividad en la tierra (12,12); que cuando suenen las siete trompetas llegará el fin (10,6-7). Todo parece, pues, predecir un hecho inminente.

Por eso a lo largo del libro se lee la frase de Jesús: "pronto vendré", "ya estoy a las puertas", "llego enseguida".

Si los hechos del Apocalipsis iban a tardar siglos en suceder, ¿por qué Jesús los ilusionó inútilmente? ¿Para qué les pidió que rezaran con ansias "Ven, Señor Jesús" (22,17.20), si Jesús no pensaba venir aún a cumplir las profecías?

El libro aseguraba a los lectores del siglo I que aquellos sucesos iban a suceder pronto. Y nosotros, pues, debemos creerle y abandonar la idea de encontrar en él acontecimientos que pertenezcan a nuestra época.

Entonces ¿a qué acontecimientos se refiere el Apocalipsis?

Ya dijimos que el libro se escribió alrededor del año 95. En esa época gobernaba a Roma el emperador Domiciano. Y los cristianos estaban atravesando por dos problemas muy graves:

a) la ruptura de relaciones con los judíos; y

b) la persecución desatada por el Imperio Romano.

Del judaísmo al cristianismo

Los primeros cristianos, apenas aparecieron, ya tuvieron que enfrentarse con los judíos. Porque, aunque leían las mismas Escrituras, rezaban los mismos salmos y asistían al mismo Templo, ellos creían en la resurrección de Jesús lo cual no era aceptado por los judíos.

Se produjeron, entonces, tensiones y refriegas. Las autoridades judías consideraron poco a poco a los cristianos como una "secta" y les prohibieron el ingreso al Templo y a las sinagogas.

Esto colocó a los cristianos en un grave dilema: no podían ni querían renegar de las tradiciones judías, pero ¿cómo guardar silencio sobre la resurrección de Jesús y sobre su evangelio? Ellos sabían que Dios había elegido al pueblo judío, y querían respetar esa elección de Dios, pero ¿qué hacer si los judíos no los aceptaban a ellos?

La primera parte del Apocalipsis, es decir, los capítulos 4-11 (pues los capítulos 1-3 son una introducción), quiere responder precisamente a esta cuestión.

¿Y cuál es la respuesta de Juan? Les anuncia a los cristianos que el pueblo de Israel ha sido sustituido por la Iglesia. Que ésta es ahora el nuevo Israel. Pero no porque el antiguo Israel haya sido rechazado por Dios, sino porque los verdaderos israelitas (es decir, los judíos que sí aceptaron a Jesús) se han convertido ahora en la Iglesia, que acaba de aparecer.

Y profetiza una dolorosa ruptura entre ambas comunidades, que será total y definitiva. Pero les advierte que no debían preocuparse porque ésta será el nacimiento del nuevo pueblo de Dios, el pueblo cristiano.

El paso a nuevas manos

El autor dice todo esto mediante visiones y símbolos en donde muestra que el Antiguo Testamento ha sido superado por la nueva Iglesia de Jesús.

Así, la visión del trono de Dios (c.4) muestra que donde antes se adoraba sólo a Yahvé ahora se adora también a Jesucristo en forma de un Cordero degollado. La visión del libro sellado (c.5) enseña que el Antiguo Testamento de los judíos es un libro indescifrable, si no se lo completa con el evangelio que predicó Jesús. La visión de los cuatro jinetes (c.6) anuncia la llegada de Jesucristo y la inauguración de una nueva era. La visión de los 144.000 sellados (c.7), indica que el censo hecho por Moisés al salir de Egipto es reemplazado por un nuevo censo, que ahora incluye personas de todas las razas, lenguas y pueblos. La visión de las siete trompetas (c.8-9) señala que las plagas de Egipto que dieron origen al pueblo de Israel, ahora son reemplazadas por nuevas plagas que dan nacimiento a la Iglesia. La visión del librito devorado (c.10) exhorta a los lectores a predicar el Evangelio. Y la visión de los dos testigos (c.11) muestra cómo el Templo de Jerusalén, al que nadie podía entrar, ha sido reemplazado por otro templo abierto a todo el mundo.

La locura del Imperio

Pero un segundo problema preocupaba a los cristianos de fines del siglo I: la persecución desatada contra ellos por el Imperio Romano.

Aún estaba fresca en su memoria la locura tristemente célebre de Calígula (37-41), y sobre todo de Nerón (54-68), quien unos años antes había perseguido cruelmente a los cristianos en Roma y había hecho morir al apóstol Pablo, a san Pedro y a muchos otros.

Ahora, en el momento en que Juan escribe, el delirio imperial ha vuelto a instalarse. Domiciano ha decidido imponer el culto al emperador, y exige que se lo llame "Señor y Dios". La reacción de los cristianos es inmediata. Su único Dios y Señor es Jesucristo. ¿Cómo podían admitir semejantes pretensiones de Domiciano?

Al ver el rechazo de los cristianos, Domiciano desató una nueva y feroz persecución que ahogará en sangre a las comunidades creyentes.

Una Bestia con siete cabezas

Frente a este segundo problema Juan compone la segunda parte de su libro (capítulos 12-20). En ella busca darles ánimo y esperanza, y alentarlos en medio de las durísimas pruebas por las que atravesaban.

Ellos se preguntaban cuánto tiempo más duraría este horror, cuándo intervendría Dios en favor de ellos y acabaría con las pretensiones totalitarias del gobierno de Roma. Y él les responde mediante imágenes y visiones.

En el capítulo 12 una mujer (que representa a la Iglesia) enfrenta a un gran Dragón (el Imperio Romano) que quiere devorar a sus hijos (los cristianos), y sale victoriosa. Con lo cual el autor anuncia e triunfo de los creyentes frente a la persecución que se había desatado.

Sigue la visión de las dos Bestias (c.13). La primera representa, otra vez, al Imperio Romano, pues tiene siete cabezas (como las siete colinas de Roma) y títulos ofensivos (los títulos divinos que usaba el emperador). La segunda Bestia (también llamada en 19,20 "el Falso Profeta") es la encargada de hacer propaganda para que todos adoren a la primera Bestia; representa, por lo tanto, a la propaganda oficial del estado, o sea a la religión romana montada por el emperador para seducir y convencer a los cristianos de que lo veneraran a él como dios; lo cual estaba logrando en muchas comunidades.

A fin de dar ánimo a los cristianos, Juan anuncia aquí (c.16) un tremendo castigo contra Roma, descrito con siete copas llenas de calamidades derramadas sobre ella.

Roma y sus mil disfraces

En el capítulo 17 la ciudad de Roma vuelve a aparecer, esta vez presentada con la figura de una gran Prostituta (c.17). Y a continuación describe su destrucción, y cómo gritan y se lamentan aquellos que antes amaban, pecaban y negociaban con esta Prostituta (c.18). El castigo de Roma concluye con alegres cantos en el cielo, donde se oye resonar el aleluya triunfal (c.19).

Una última visión presenta a un Jinete montado en un caballo blanco, que lucha contra la Bestia y sus aliados y la vence. El Jinete (Cristo), arroja a la Bestia (el Imperio romano) a un lago de fuego.

Toda la segunda parte del Apocalipsis, pues, consiste en el anuncio esperanzador del pronto final de la persecución. Con el lenguaje propio de la apocalíptica, el autor repite siempre lo mismo mediante diversas imágenes, símbolos y figuras: Dios reserva un gran castigo contra la ciudad de Roma, contra el emperador que se creía dios, y contra sus autoridades y magistrados, mientras que los cristianos que se mantuvieron fieles hasta el final serán liberados de todo mal.

Una profecía llena de consuelo para los que tenían que perseverar en medio de tanta violencia y sufrimiento.

¿Queda algo para el final?

Después del fin de la persecución, el Apocalipsis anuncia la llegada de un reino de 1000 años de duración (c.20). Con esto el autor quiere expresar que el cristianismo seguirá existiendo un largo tiempo, expresado simbólicamente como de 1000 años, pero que él no pretende determinar. Y el encarcelamiento de la Serpiente indica que el poder de Satanás, es decir, del mal, estará a partir de ese momento limitado en su poder, pues ya existe en el mundo el evangelio de Jesucristo.

El libro termina con la majestuosa visión de los cielos nuevos y tierra nueva, y una nueva ciudad de Jerusalén que baja desde el cielo. ¿Cuándo aparecerán estos cielos nuevos y tierra nueva?

En realidad para el Apocalipsis también éstos ya han aparecido. Al acabarse la persecución, el autor anuncia que se inaugurará una nueva era para toda la humanidad (decir "cielo y tierra" equivale a decir toda la humanidad), con una nueva ciudad de "Jerusalén" en reemplazo de la anterior. De ella formarán parte todos los santos de la tierra, es decir, los que procuran vivir de acuerdo con la Palabra de Dios

Iglesia con futuro

Al poco tiempo de aparecer el cristianismo, ya estuvo a punto de abortarse. Dos grandes obstáculos (la ruptura con los judíos, y la persecución romana) le salieron al cruce, y casi lo ahogaron cuando apenas estaba naciendo. Era lógico, entonces, que quienes se habían adherido a este nuevo movimiento se preguntaran si tendría futuro, si valía la pena jugarse la vida por el evangelio o estaba destinado a desaparecer como otras tantas corrientes religiosas surgidas y luego desaparecidas a lo largo de la historia.

Ante esta candente cuestión, en la que los creyentes ponían en juego nada menos que su vida, Juan escribió su Apocalipsis para decirles que el cristianismo, recientemente aparecido, no era una corriente religiosa más, sino que estaba destinada a durar para siempre. Que el judaísmo no impediría su desarrollo y que el Imperio Romano no lograría eliminarlo. Que los cristianos podían, no más, confiar tranquilamente en la nueva Iglesia, porque contaba con la protección de Dios para siempre.

El Apocalipsis no habla, por lo tanto, del fin del mundo como algunos creen. ¿De qué les hubiera servido a aquellos cristianos desesperados y perseguidos por los romanos, los detalles del fin del mundo que supuestamente vendría miles de años después? ¿Para qué Juan los iba a prevenir de algo que sucedería siglos más tarde, cuando no sabían si al día siguiente estarían vivos?

Las esperanzas de triunfo

Juan, que era un cristiano preocupado por la situación presente de sus hermanos, les quiso anunciar una noticia gozosa y esperanzadora para todos ellos: que el cristianismo saldría triunfante frente a la opresión de los judíos y a la persecución de los romanos, los dos grandes dramas del momento.

Todas las profecías del Apocalipsis, pues, ya se han cumplido. (Del mismo modo que ya se han cumplido las profecías de Isaías, de Jeremías, o de Jesús sobre la destrucción de Jerusalén).

No obstante, el libro sigue teniendo un mensaje para nosotros los lectores modernos. Porque hoy también el cristianismo se ve jaqueado por diversas persecuciones, y se ven tentados de preguntarse: ¿tiene futuro esta fe? ¿No habría que admitir que el mal, la violencia, el fraude, la corrupción, la mentira, están venciendo y que debemos pasarnos a sus filas antes de que nos terminen de matar por buscar otro ideal? ¿Tiene sentido obstinarse en los valores cristianos frente a un mundo que, como una Bestia feroz, parece devorar a quienes los practican?

A todos ellos el Apocalipsis les contesta que sí. Que del mismo modo que salió triunfante de las potencias enemigas en sus comienzos, la fe cristiana está destinada a triunfar también ahora. Que nunca podrán ser derrotados el bien y la justicia que predica el cristianismo. Y que quienes estén del lado del mal, no tienen ya futuro.

Por eso Juan, en su libro, dejó escrita la esperanza y la ilusión más grande jamás contada.

Para reflexionar

1) ¿Cuándo dice el mismo Apocalipsis que se cumplirán los cosas allí escritas?

2) ¿Cuáles eran los dos grandes problemas que afrontaban las comunidades a las que se dirige este libro?

3) ¿Qué respuesta aporta a cada uno de ellos?

4) ¿Cuál es el mensaje global que nos deja a nosotros hoy el libro del Apocalipsis?

Para continuar la lectura

P. PRIGENT, *L'Apocalisse di S. Giovanni*, Editorial Borla, Roma 1985.

Índice

Impreso en Talleres Gráficos D'Aversa S. A.,
Vicente López 318, B1878DUQ Quilmes, Buenos Aires,
Argentina.